MW00423772

DOMAINE DU POSSIBLE

La crise profonde que connaissent nos sociétés est patente. Dérèglement écologique, exclusion sociale, exploitation sans limites des ressources naturelles, recherche acharnée et déshumanisante du profit, creusement des inégalités sont au cœur des problématiques contemporaines.

Or, partout dans le monde, des hommes et des femmes s'organisent autour d'initiatives originales et innovantes, en vue d'apporter des perspectives nouvelles pour l'avenir. Des solutions existent, des propositions inédites voient le jour aux quatre coins de la planète, souvent à une petite échelle, mais toujours dans le but d'initier un véritable mouvement de transformation des sociétés.

PETIT MANUEL DE RÉSISTANCE CONTEMPORAINE

DU MÊME AUTEUR

Assis sur le fil, poèmes, La Table ronde, 2014.
Demain, un nouveau monde en marche, Actes Sud, coll. "Domaine du possible",
2015 ; nouvelle édition, 2016.
Demain : les aventures de Léo, Lou et Pablo en quête d'un monde meilleur, Actes
Sud Junior, 2015.
Demain entre tes mains, avec Pierre Rabhi, Actes Sud Junior, 2017.
Imago, Actes Sud, 2017.

© Actes Sud, 2018
ISBN 978-2-330-10144-2
www.actes-sud.fr

CYRIL DION

PETIT MANUEL DE RÉSISTANCE CONTEMPORAINE

RÉCITS ET STRATÉGIES POUR TRANSFORMER LE MONDE

DOMAINE DU POSSIBLE
ACTES SUD | COLIBRIS

Il est grand temps de passer d'une société orientée vers les choses à une société orientée sur les êtres. Si l'on pense que les machines et les ordinateurs, le profit et les droits de propriété sont plus importants que les personnes, alors le trio de géants — racisme, matérialisme et militarisme — est impossible à vaincre.

MARTIN LUTHER KING JR.,
"Au-delà du Vietnam : le moment de briser le silence",
discours prononcé à New York le 4 avril 1967.

AVANT-PROPOS

"Pourquoi votre discours n'imprime-t-il pas ? Comment convaincre les gens comme moi, qui sont tentés de changer leurs habitudes mais qui n'y arrivent pas ?"

Nous sommes le 9 décembre 2015. Sur le plateau d'une émission de télévision bien connue. De l'autre côté de la lucarne, trois millions de téléspectateurs doivent jeter un œil distrait à notre débat. Sur le fauteuil en face de moi, Yann Arthus-Bertrand a l'air navré.

Depuis plusieurs minutes, la journaliste chargée de chroniquer nos films[I] – fraîchement élue meilleure intervieweuse de France – nous pousse dans nos retranchements. À côté d'elle, l'écrivain-sniper, qui doit faire de même, garde un air blasé.

Elle continue, s'adressant à moi. Le film est trop cool, les gens que nous montrons, trop parfaits. En le regardant elle s'est sentie étouffer : "Je n'ai eu qu'une seule envie : prendre l'avion, me faire couler un bain moussant et bouffer une bonne côte de bœuf[1]."

Elle nous reproche de ne pas nous y prendre comme il faut. De ne pas lui donner envie de se mobiliser pour éviter la catastrophe écologique. Comme si la responsabilité de la secouer nous appartenait. Je garde un souvenir étrange de ce moment. Les mots que je prononçais étaient comme assourdis, recouverts. C'est étrange, me disais-je, comme ces conversations (sur l'effondrement écologique) vont de soi dans certains contextes et tombent à plat dans d'autres...

Quelques mois plus tard, le public avait partiellement démenti la théorie de Léa Salamé. Le propos que nous avions développé dans *Demain* était parvenu jusqu'aux gens. Du moins, jusqu'à un million deux cent mille personnes qui avaient été le voir en salle. Puis le film était sorti dans trente pays, avait remporté un César.

I. Yann Arthus-Bertrand venait de sortir le film *Terra*, et nous venions de réaliser le documentaire *Demain* avec Mélanie Laurent. *(Les notes numérotées en chiffres romains se trouvent en bas de page, celles numérotées en chiffres arabes se trouvent à la fin de l'ouvrage, p. 143.)*

Tous les jours nous recevions des messages de personnes qui nous racontaient ce qu'elles avaient fait en sortant de la salle : démarré un compost, créé une monnaie locale, changé de métier... Nous avions raconté "une histoire qui fait du bien", selon leurs propres mots. Nous leur avions "redonné de l'espoir", les avions "inspirées".

Pourtant, notre contradictrice d'un soir n'avait pas entièrement tort. Globalement, nous, écologistes, ne parvenons pas à faire passer notre message. Du moins pas suffisamment.

Malgré tous nos efforts la situation ne cesse de se dégrader, à une vitesse étourdissante.

À ce titre, l'été 2017 a battu tous les records : iceberg géant se détachant de la banquise, ouragans à intensité inédite, température la plus chaude jamais enregistrée sur Terre, inondations meurtrières en Inde, incendies catastrophiques au Portugal et en Californie, études plus alarmantes les unes que les autres... Et ce fameux article de David Wallace-Wells dont je parlerai plus loin. Même animé par une inébranlable foi en l'humanité, en ses capacités à faire face au pire pour y opposer le meilleur, ne pas être terrifié par ce que les prochaines décennies nous réservent relève de l'optimisme béat ou de l'acte de bravoure.

À la lecture de toutes ces nouvelles catastrophiques, notre réflexe fut, pendant des années, d'alerter et d'alerter encore... Force est de constater que c'est inefficace. Égrener ces informations, les poster frénétiquement sur les réseaux sociaux, monter des campagnes, faire ce que nous, militants, ONG, presse spécialisée, nous échinons à faire depuis des années est utile, mais globalement inopérant. Aussi incroyable que cela puisse paraître à tous ceux qui sont habités par un sentiment d'urgence écologique absolue, ce sujet n'attire pas les foules. Certes, l'attention portée à la protection de notre planète a progressé depuis vingt ans, on peut même dire qu'elle n'a jamais été aussi grande. Pourtant, les mobilisations contre le changement climatique sont ridiculement faibles. La plus grande marche de ces dernières années, organisée à New York en septembre 2014, a rassemblé 300 000 personnes, malgré le battage médiatique et la kyrielle de stars du cinéma américain qui avaient pris la tête du cortège. Les 28 et 29 novembre 2015, juste avant le grand rendez-vous du Sommet mondial de Paris sur le climat (la fameuse COP 21), une marche globale, mondiale, fut organisée (et interdite à Paris à la suite des attentats du Bataclan). Selon l'ONG 350.org, ce sont près de 2 300 cortèges qui arpentèrent les rues de 175 pays et rassemblèrent au total 785 000 personnes[2] (600 000 selon le *Guardian*[3]). En comparaison, 1 million et demi de Français se massèrent sur les Champs-Élysées à Paris pour fêter la victoire de la France à la Coupe du monde de foot et au moins 500 000 pour l'enterrement de Johnny Hallyday.

Certes, le souci de l'écologie s'est propagé depuis quelques années, mais il reste contingent. Bien souvent les néo-écolos, pourtant animés par un enthousiasme communicatif, ne savent pas très bien par quoi commencer, s'épuisent dans de petites actions à faible impact, s'épanouissent dans des projets qui ne font pas encore système avec les organisations sociales, politiques, économiques qui les entourent. Malgré leurs efforts (nos efforts), la destruction va toujours plus vite que la régénération. Infiniment plus vite. Nous dormons. De temps à autre, l'ampleur de la catastrophe nous saisit, puis le quotidien reprend son cours. Inexorablement. Car nous aimons ce monde matérialiste. En tout cas, nous y sommes habitués. Tellement habitués que nous ne savons plus vivre autrement. Aujourd'hui, nous devons aller plus vite, plus loin.

Nous sommes face à un danger d'une ampleur comparable à celui d'une guerre mondiale. Sans doute même plus grave. Danger porté par une idéologie, matérialiste, néolibérale, principalement soucieuse de créer de la richesse, du confort, d'engranger des bénéfices. Qui envisage la nature comme un vaste champ de ressources disponibles au pillage, les animaux et autres êtres vivants comme des variables productives ou improductives, les êtres humains comme des rouages sommés de faire tourner la machine économique. Nous devrions résister. Tels nos aïeux résistant au nazisme, tels les Afro-Américains résistant à l'esclavage puis à la ségrégation, il nous faudrait progressivement refuser de participer à ce dessein funeste. Nous dresser et reprendre le pouvoir sur notre destinée collective. Ce n'est pas vers la ruine et la destruction que nous voulons nous diriger. Ce n'est pas un monde absurde, où chacun est cantonné à un rôle de producteur-consommateur, que nous voulons construire. Nous n'avons pas décidé d'éradiquer toute forme de vie sur Terre, simplement pour pouvoir nous asseoir dans un canapé, smartphone en main, musique douce en fond, télé allumée en arrière-plan, livreur à la porte, chauffage réglé à 22 °C... Ou, si c'est le cas, nous sommes définitivement dégénérés.

Dans cet ouvrage, j'ai tâché d'explorer les meilleures stratégies pour engager cette résistance. Pour ce faire, j'ai synthétisé deux années de recherches, de lectures, de rencontres à travers dix-huit pays, découvrant que les plus efficaces ne sont pas forcément celles auxquelles nous pourrions penser de prime abord. Manifester, signer des pétitions, agir localement, consommer autrement, faire des dons, s'impliquer, occuper des lieux, boycotter... Toutes ces propositions qui nous sont faites dans d'innombrables ouvrages, dans des articles, des émissions, sur les réseaux sociaux, n'ont aucune utilité, ou presque, si elles sont mises en œuvre de façon isolée. Les perspectives plus radicales d'insurrection ou d'affrontements violents nous conduiraient certainement à reproduire ce que nous prétendons combattre. Selon moi, il ne s'agit pas de prendre les armes, mais de transformer notre façon de voir le monde. De tout temps, ce sont les histoires, les récits qui ont porté le plus puissamment les mutations philosophiques, éthiques, politiques... Ce sont donc par les récits que nous pouvons engager une véritable "révolution". Mais pour que ces récits puissent émerger et se traduire en structures politiques, économiques et sociales, il est incontournable d'agir sur les architectures qui orientent nos comportements. C'est ce que je développerai dans la dernière partie de l'ouvrage.

Si toutes ces questions vous passent au-dessus de la tête (et que pour une raison miraculeuse vous tenez ce livre entre les mains), j'espère vous donner envie de vous y intéresser.

Si elles vous touchent et que vous vous sentez impuissant, j'espère vous donner l'élan d'agir plus avant. Nous ne pouvons plus nous contenter de regarder les choses de loin, de hausser les épaules ou de pointer un doigt accusateur. Nous sommes tous partie prenante de cette entreprise de destruction massive, d'une façon ou d'une autre. C'est le moment de penser à nouveau par nous-mêmes et de faire des choix.

J'espère qu'à la lecture de ce livre vous sentirez poindre dans vos membres, dans votre poitrine, ce souffle si caractéristique de la liberté. Cette incomparable envie de créer, d'être utile. Le besoin de contribuer à quelque chose de plus vaste que vous. De participer à un mouvement dont nos enfants et nos petits-enfants se souviendront lorsqu'ils étudieront ce moment clé de notre histoire. Celui où nous avons décidé de ne pas renoncer.

1

C'EST PIRE QUE VOUS NE LE CROYEZ

Même si j'ai conscience que la lecture de ce chapitre ne sera pas des plus agréables, même si se borner à annoncer les catastrophes n'est pas toujours très gratifiant, il nous faut bien établir notre réflexion sur des bases solides. De quelle situation écologique parlons-nous exactement ? Que risquons-nous dans les décennies à venir ? En réalité, nous nous tenons face à un immense paradoxe. Qui n'est sans doute pas étranger à notre difficulté à réagir. Car, si de nombreux indicateurs écologiques sont au rouge, pour une partie de l'humanité d'autres indicateurs sont radicalement au vert. Ainsi, en fonction de l'angle sous lequel nous regardons le monde, de l'agencement que nous opérons avec les informations que nous glanons, nous pouvons en avoir une perception radicalement différente.

Si nous habitons en Europe, en Amérique du Nord, au Japon, en Australie, en Afrique du Sud, dans un nombre grandissant de villes asiatiques, sud-américaines, africaines, et que nous faisons partie de la minorité la plus riche de la planète, nous avons aujourd'hui accès à un confort absolument inégalé depuis que l'être humain s'est dressé sur ses deux pieds. Grâce à la maîtrise de l'énergie, nous pouvons modeler les paysages, parcourir le globe en quelques heures, nous établir dans des contrées glaciales ou écrasées de chaleur, y recréer des microclimats, produire en masse des objets, des vêtements, de la nourriture, remplacer des bras, replanter des cheveux, lancer des sondes à la découverte de nos artères ou du système solaire, en un clic correspondre avec un être à l'autre bout du monde, le regarder sur un bout de métal et de verre plus petit qu'une plaquette de beurre, connecter les cerveaux, les pensées, les écrits de plusieurs milliards d'âmes auparavant éparpillées, créer des robots, des machines capables de nous suppléer dans les tâches les plus pénibles, artificiellement reproduire l'intelligence grâce à des ordinateurs surpuissants, dont les capacités de calcul excèdent tout ce dont nous aurions pu rêver il y a un siècle à peine.

Comment ne pas être grisé par un tel pouvoir ? Après des siècles de luttes acharnées pour arracher à la terre les moyens de notre subsistance. À protéger nos corps faibles, démunis, dépourvus de griffes, de poils, de muscles puissants, des dangers qui les menacent. À geler, à cuire, à sombrer au milieu des océans... Terrifiés par la nuit, par la foudre, par les déchaînements inexpliqués. Après des siècles passés à inventer des dieux et des malédictions, à construire des récits capables d'expliquer pourquoi nous mourons. Pourquoi nous vivons.

Aujourd'hui nous pouvons enfin jouir. Et nous ne voulons plus disparaître.

Comme se plaît à le rappeler le philosophe Michel Serres, nous connaissons depuis près de soixante-cinq ans une paix relative[1] mais, là encore, inégalée en Europe occidentale[1]. Pour donner une perspective historique, nous sommes passés de 100 homicides par an pour 100 000 habitants en Angleterre au XIVe siècle à 0,7 aujourd'hui[2]. Tendance qui se confirme dans le monde depuis la fin de la Seconde Guerre mondiale. Malgré la guerre du Vietnam, le génocide rwandais, le conflit en Syrie, jamais, depuis six siècles, le nombre de décès dus aux guerres ou aux homicides n'a été aussi bas[3].

En un siècle, nous avons repoussé de plusieurs décennies notre espérance de vie, éradiqué des maladies qui avaient pourtant décimé des millions de personnes. Notre espèce s'est multipliée. Enfin en sécurité, capable de contrôler ses naissances, de faire survivre ses bébés, de maintenir ses vieux, de guérir ses malades, le nombre de ses individus a doublé, triplé en moins d'un siècle, envahissant chaque recoin du globe, repoussant les frontières de la nature sauvage.

Demain, nous promettent les prophètes du numérique et du transhumanisme, nous pourrons doubler nos capacités cognitives, adjoignant des puces, des disques durs à nos cerveaux, réparer nos

---

I. À l'exception de la guerre en Bosnie qui a fait près de 100 000 morts.

organes, empêcher nos corps de dépérir, nos cœurs de s'arrêter. Et nous aurons vaincu ce qui faisait de nous des hommes, nous égalerons les dieux.

Ainsi éclairé, notre présent aurait de quoi réjouir certains. Mais, en regard de cette impressionnante litanie de progrès, une autre énumération aurait de quoi nous terrifier. Car ces incroyables avancées ne bénéficient pas à tous les êtres humains de la même façon. Dans le monde, un enfant meurt toutes les six secondes de la faim, toutes les sept secondes de ne pas avoir eu accès aux soins. Un humain sur neuf n'est pas assez nourri, un humain sur dix boit une eau si sale que nous ne laverions pas nos voitures avec[4], Cuba compte 672 médecins pour 100 000 habitants, l'Éthiopie n'en compte que 3[5]... Sur le plan écologique, nous avons assisté à la disparition de la moitié des populations de vertébrés de la planète ces quarante dernières années, de 80 % des insectes volants d'Europe en trois décennies, il y aura bientôt plus de plastique que de poissons dans les océans, 2 400 arbres sont abattus chaque minute[6], les sécheresses, les inondations, les tornades, les territoires submergés augmentent, des millions de réfugiés sont déjà lancés sur les routes à la recherche d'un endroit où survivre, l'eau se raréfie, les sols s'érodent...

Nous connaissons déjà tous ces chiffres. Si nous nous intéressons à la question, nous les voyons défiler dans les articles, les entendons dans la bouche d'écologistes qui les ressassent, encore et encore. Mais notre cerveau ne réagit pas aux chiffres, aux concepts, il a besoin d'images, d'exemples, de situations réelles qui décrivent ce qui se cache derrière des mots comme "réchauffement climatique". Soit, la température augmente. Mais qu'est-ce que cela veut dire en pratique ?
En juillet 2017, le journaliste américain David Wallace-Wells s'est évertué à recenser, dans ce qui est devenu en quelques semaines

l'article le plus lu de l'histoire du *New York Magazine*[7], les plaies que les scientifiques les plus aguerris nous promettent pour les décennies à venir, si nous ne stoppons pas le réchauffement planétaire. En commençant par une mise en garde glaçante : "C'est, je peux vous l'assurer, pire que vous ne le pensez. Si votre angoisse à propos du changement climatique est dominée par l'idée de la montée des eaux, vous n'avez qu'à peine effleuré la surface des terreurs qu'un adolescent d'aujourd'hui connaîtra au cours de son existence." Comme les vingt-deux scientifiques qui avaient publié la désormais célèbre étude internationale *Approching a State Shift in Earth' Biosphere* en 2012[I], comme Pablo Servigne et Raphaël Stevens qui avaient fondé les conclusions de leur ouvrage *Comment tout peut s'effondrer*[8] sur des dizaines de publications de prestigieuses revues comme *Nature* et *Science*, comme de nombreux lanceurs et lanceuses d'alerte à travers le globe, David Wallace-Wells s'appuie sur d'innombrables recherches, "des dizaines d'interviews et de conversations avec des climatologues et des chercheurs, des centaines d'articles scientifiques sur le changement climatique" pour décrire l'effondrement et les catastrophes que l'humanité pourrait connaître dans les décennies qui viennent.

Si je prends tant de précautions pour introduire ce que je vais tenter de résumer, c'est que tout cela paraît incroyable, impossible presque, tant notre réalité immédiate, celle que nous pouvons observer à travers nos fenêtres, en est apparemment éloignée.

Et pourtant.

Tout d'abord, le réchauffement va plus vite que l'ensemble des prévisions les plus alarmistes évoquées par le Groupe d'experts intergouvernemental sur l'évolution du climat (GIEC) ou d'autres organismes officiels. "Deux fois plus vite que les scientifiques ne le

---

I. Étude qui avait été le point de départ de notre voyage dans le film *Demain*, que j'ai écrit et coréalisé avec Mélanie Laurent.

pensaient depuis 1998[9]." Nous sommes déjà à 1,2 °C d'augmentation. Notre trajectoire actuelle nous emmène plutôt vers 4 °C et potentiellement jusqu'à 8 °C. Alors que l'accord de Paris vise à maintenir le réchauffement sous la barre des 2 °C en 2100, les scénarios internes des pétroliers Shell et BP prévoient une augmentation de la température moyenne du globe de 5 °C en 2050[10]. Et malheureusement je crois la logique comptable, cynique, des multinationales moins encline à l'aveuglement que celle des gouvernements.

Nous voyons déjà des manifestations du réchauffement, comme cet iceberg grand comme 55 fois Paris qui s'est détaché de l'Arctique à l'été 2017, comme ces températures 20 °C au-dessus de la moyenne en janvier 2017 en Antarctique, comme ce record absolu de chaleur jamais enregistré sur la planète en 2016[I], ou cet autre record de quarante épisodes de type ouragan en août-septembre 2017[11].

Mais ce qui nous attend s'annonce autrement plus effrayant.

L'une des inquiétudes majeures concerne la fonte du permafrost, cette couche de sol gelée en permanence qui recouvre 20 % de la planète, de la Sibérie à l'Arctique, en passant par la Scandinavie... Rien qu'en Arctique, 1 800 milliards de tonnes de carbone seraient emprisonnées, plus du double de ce qui est actuellement présent dans l'atmosphère. Une fois le permafrost dégelé, ce carbone serait partiellement relâché sous forme de méthane dont le pouvoir réchauffeur est infiniment plus important que celui du CO_2. En Sibérie, ce sont 70 milliards de tonnes de carbone qui dorment sous le sol dur et la fonte a déjà commencé. Tout cela s'ajoutant aux émissions que nous continuons d'alimenter de façon toujours plus importante.

I. L'année 2016 est pour le moment l'année où les températures ont été les plus élevées sur la planète depuis le début des relevés en 1880 : abonnes.lemonde.fr/ climat/article/2017/03/21/climat-2016-bat-un-record-de-chaleur-la-planete-entre-en-territoire-inconnu_5097869_1652612.html.

Le réchauffement actuel pourrait ainsi accélérer le réchauffement futur et provoquer un emballement incontrôlable. Au-delà de 5 °C, nous ne savons plus très bien comment les choses peuvent se passer. Lors d'une des dernières extinctions de masse, il y a 252 millions d'années, "tout commença lorsque le carbone réchauffa la planète de 5 °C, s'accéléra quand ce réchauffement déclencha le relâchement du méthane de l'Arctique, et se finit avec 97 % de la vie sur Terre éradiquée", écrit Wells. Or, nous ajoutons du carbone à l'atmosphère dix fois plus vite qu'à l'époque. De là à en tirer des conclusions apocalyptiques, il n'y a qu'un pas, que la plupart des scientifiques ne franchissent pas pour de très bonnes raisons d'imprédictibilité du futur, de complexité des phénomènes en présence, d'éthique et de responsabilité. Pour autant, ces éléments donnent une perspective particulière à l'avenir.

La question que l'on se pose immédiatement est certainement : pourquoi ? Pourquoi une augmentation de 5 à 8 °C pourrait-elle conduire à la disparition d'une partie de la vie sur Terre ?

D'abord à cause de la chaleur.

Comme tous les mammifères, notre organisme doit se maintenir à une température constante pour garder son équilibre. Dans notre cas, 37 °C. Lorsque la température extérieure excède notre température intérieure, des mécanismes tels que la transpiration permettent de refroidir notre corps en produisant de l'humidité. Jusqu'à un certain point...

4 °C d'augmentation rendraient chaque été aussi torride que la canicule de 2003 qui a provoqué la mort de 70 000 personnes en Europe.

6 °C soumettraient les habitants de New York à des chaleurs comparables à celle de Bahreïn aujourd'hui.

7 °C rendraient inhabitables de larges pans de la planète, à commencer par toute la bande équatoriale.

"À 11-12 °C d'augmentation, plus de la moitié de la population telle qu'elle est aujourd'hui répartie mourrait directement de chaud", poursuit Wells, se fondant sur les recherches de Sherwood et Huber[12].

Deuxième cause de disparition potentielle : la nourriture. Il est communément admis que pour chaque degré d'augmentation de la température les rendements agricoles baisseraient de 10 %. Étant donné que la population mondiale augmente comme jamais dans l'histoire (elle a tout bonnement triplé depuis la Seconde Guerre mondiale), nous pourrions théoriquement devoir, d'ici à la fin du siècle, nourrir 50 % de personnes en plus avec 50 % de rendements en moins[1]... Pourquoi ? Parce que les sécheresses gagneront (gagnent déjà) de nouveaux territoires comme le Sud de l'Europe et des États-Unis, des zones parmi les plus densément peuplées d'Australie, d'Afrique et d'Amérique du Sud, certaines régions de Chine... Parce que nous manquerons d'eau. Parce que la généralisation de monocultures dopées aux engrais de synthèse épuise les sols, réduit drastiquement la biodiversité cruciale pour la productivité des terres, que la déforestation couplée aux inondations augmente l'érosion. Nous manquerons de bonnes terres. Et nous ne pourrons durablement stimuler celles que nous avons avec de la pétrochimie sous peine de continuer à accélérer le réchauffement. Or, les terres que certains lorgnent avidement du coin de l'œil au Groenland ou en Sibérie n'atteindront leur pic de fertilité qu'après des dizaines d'années de culture.

Comme le rappellent Jared Diamond dans *Effondrement*[13] ou l'agronome et écologiste mondialement connu Lester Brown dans *Basculement*[14] (on appréciera la créativité dans l'intitulé des livres qui cherchent à annoncer la rupture à venir), la disparition des civilisations est la plupart du temps liée à une rupture dans la chaîne alimentaire. Nous y courons tout droit.

1. La prévision moyenne de l'ONU est de 11 milliards d'habitants en 2100.

Viennent ensuite les maladies. Accrochez-vous.

Comme le rappelle Wells, certains virus sont emprisonnés dans les glaces de l'Arctique depuis des millions d'années. Plus longtemps que l'existence même des êtres humains. Nous ne savons donc pas comment nous pourrions y réagir. Des virus plus récents comme la grippe espagnole, la peste bubonique, sont suspectés d'être présents en Sibérie ou en Alaska. Mais ce qui préoccupe les épidémiologistes est avant tout l'extension géographique, la mutation ou la propagation de certaines maladies, dues à la modification du climat. Le paludisme ou la dingue migreraient très certainement jusque dans les contrées tempérées comme l'Europe occidentale. Et, pire encore, pour chaque degré d'augmentation le parasite porteur de maladies comme le paludisme se reproduit dix fois plus vite.

Parlons maintenant de l'air que nous respirons.

À Paris, comme dans beaucoup de grandes villes, face aux alertes répétées sur la pollution de l'air, nous avons douloureusement pris conscience que les émissions des voitures, des usines, des vieux chauffages, couplées aux particules fines du gazole, à l'azote des engrais agricoles et à de nombreuses autres réjouissances chimiques, constituent un nuage qui irrite nos bronches, nos sinus, encrasse nos poumons, souille notre organisme, l'affaiblit, au point de provoquer la mort. C'est aujourd'hui la troisième cause de mortalité dans le pays : 48 000 personnes décèdent chaque année prématurément des conséquences de la pollution de l'air. Dix fois plus de victimes que celles des accidents de la route et presque autant que celles imputées au tabagisme. En Chine et en Inde, ce sont 1,1 million de personnes qui trépassent, tous les ans[15], asphyxiées par le nuage de charbon, de gaz d'échappement et autres polluants. En 2013, année du fameux "Airpocalypse" chinois, "le smog fut responsable du tiers des morts dans le pays", rappelle encore Wells. Dans le monde, 7,3 millions de personnes meurent chaque année à cause de l'air qu'elles respirent[16].

Mais ce n'est pas tout. Plus la concentration en gaz carbonique de l'air augmentera, plus nos facultés cognitives diminueront, plus celle de l'ozone grimpera, plus le nombre d'enfants autistes pourrait exploser (concentration couplée avec d'autres facteurs environnementaux[17])...

Sans compter que la concentration d'oxygène pourrait dans le même temps diminuer : 20 % de l'oxygène mondial provient aujourd'hui de la forêt amazonienne, déjà considérablement touchée par la déforestation, mais qui pourrait connaître un sort plus radical si l'augmentation des températures l'asséchait suffisamment pour qu'elle soit la proie des incendies, comme de nombreuses forêts méditerranéennes ou californiennes l'ont été ces dernières années. En se consumant, elle libérerait par ailleurs des quantités faramineuses de carbone dans l'atmosphère. Tout aussi préoccupante, la mort des coraux marins, victimes de l'acidification des océans et des assauts de la pêche industrielle, fait elle aussi craindre la disparition d'une grande partie de la vie marine et des 40 % d'oxygène qu'elle prodigue sur la planète.

Il est malheureusement prévisible que l'addition de ces tensions exacerbe les guerres, comme l'ont affirmé les scientifiques du GIEC[18]. Selon Marshall Burke et Solomon Hsiang, professeurs dans les universités de Stanford et de Berkeley, pour chaque demi-degré d'augmentation de la température mondiale, nous aurons 10 à 20 % de risques supplémentaires de basculer dans des affrontements armés[19]. Le changement climatique ne fait pas tout mais, couplé à d'autres facteurs, il peut devenir ravageur comme ce fut le cas en Syrie[I]. Or ces guerres, ces sécheresses, ces inondations provoquent à leur

---

I. Quatre ans avant le début de la guerre civile, 2 millions de personnes, majoritairement des paysans, furent contraintes de migrer vers les villes, plongées dans une pauvreté extrême, touchées par la pire sécheresse que le pays ait jamais connue. Entassées dans de petits logements insalubres, elles attendirent une aide du gouvernement qui ne vint jamais. La détresse des habitants attisa un sentiment de révolte. Ajoutée à des décennies d'instabilité politique, de tensions religieuses, des années de dictature et à un contexte de révolutions dans les pays arabes, cette sécheresse contribua au drame que nous connaissons.

tour des migrations de masse. On estime à 65 millions le nombre de personnes déjà déplacées par les changements climatiques. Et ce nombre ne va faire que grimper. Le Haut-Commissariat pour les réfugiés et l'ONU avançaient, il y a dix ans déjà, le chiffre de 250 millions en 2050[20]. Imaginez les migrations que nous avons connues, issues de la guerre en Syrie, multipliées par 3, 5, 10. Comment la France, l'Espagne, l'Italie, l'Allemagne, la Grèce réagiraient-elles ? Que pourrait bien donner l'avènement au pouvoir de partis xénophobes, portés par le rejet de ces étrangers déferlant en masse dans nos contrées favorisées ?

Par ailleurs, les ressources naturelles s'amenuisant, il est à craindre que des États n'engagent une lutte sans merci pour leur contrôle : eau, pétrole, terres arables, minerais... La Chine achète d'ores et déjà des millions d'hectares en Afrique, en Australie, en Amérique du Nord ou en Asie pour y faire de l'agriculture[21]. Pour le moment, les populations de ces pays ne se révoltent pas, mais en sera-t-il de même lorsque leur survie sera en jeu ? La Chine possède également l'essentiel des gisements de terres rares indispensables à la révolution numérique et à la transition énergétique. Que feront des pays comme les États-Unis et ses entreprises de la Silicon Valley lorsque ces ressources viendront à manquer et seront vendues à prix d'or par leur grand rival ?

Additionnées, toutes ces données font suffoquer. D'autant plus qu'elles sont liées les unes aux autres et fourmillent d'injonctions contradictoires. Pour créer davantage de richesses, d'emplois, réduire les inégalités, doper la croissance, nous avons besoin d'énergie en grande quantité. Aujourd'hui, elle est fournie par le pétrole. Or, pour stopper le réchauffement, nous devons cesser d'utiliser le pétrole. Mais en le faisant nous provoquerions un effondrement économique...

Prenons quelques exemples.

Chaque aller-retour Londres-New York coûte à l'Arctique 3 mètres carrés de banquise. On compte en moyenne 100 000 vols par jour

(37 millions de vols par an) sur l'ensemble du globe. Nous voyons à quel point cette situation est intenable. Il faudrait donc d'urgence stopper ces incessants voyages. Et il en va de même pour un nombre incalculable d'activités. Mais que se passera-t-il si nous le faisons ? Le centre-ville de chaque mégalopole dispose de quelques jours d'autonomie alimentaire si le bal des camions ne vient pas le ravitailler. Il en circule en moyenne 13 000 chaque jour[22]. 99 % de nos besoins quotidiens seraient transportés par la route[23]. Une immense partie de nos objets (dont les instruments de notre productivité comme les ordinateurs, modems, serveurs, etc.), de nos denrées (*via* les engrais, tracteurs, machines-outils de toutes sortes), de nos moyens de produire de l'énergie pour nous chauffer et nous déplacer dépendent directement du pétrole. L'essentiel de notre économie mondialisée est toujours totalement perfusé à l'or noir. En 2009, de nombreux analystes, dont Jeremy Rifkin[24], incriminaient directement la flambée du prix du baril à plus de 150 dollars pour expliquer la crise économique mondiale. Imaginez ce que cela pourrait donner si nous devions brutalement le taxer pour limiter son utilisation, ou si nous devions purement et simplement laisser la majeure partie du pétrole aujourd'hui dans les sous-sols de la planète (ce que recommandent tous les activistes et scientifiques qui luttent contre le changement climatique). Nous ne sommes absolument pas préparés à cette situation.

Mais nous ne le sommes pas non plus à ce que nous coûteront les catastrophes si nous ne faisons rien. En 2006, Sir Nicholas Stern évaluait à 5 500 milliards d'euros le coût de l'inaction[1]. Nous avons déjà un aperçu de ces sommes faramineuses avec le coût

---

1. "Si l'on ne réagit pas, les coûts et les risques globaux du changement climatique seront équivalents à une perte d'au moins 5 % du PIB mondial chaque année, aujourd'hui et pour toujours. Si l'on prend en compte un éventail plus vaste de risques et de conséquences, les estimations des dommages pourraient s'élever à 20 % du PIB ou plus. En revanche, les coûts de l'action, à savoir réduire les émissions de gaz à effet de serre pour éviter les pires conséquences du changement climatique, peuvent se limiter à environ 1 % du PIB mondial chaque année", *Stern Review on Economics of Climate Change.*

des ouragans Irma et Harvey, les inondations en Inde, les feux au Portugal ou en Californie.

Nous pourrions ajouter bon nombre de menaces terrifiantes à cette longue liste. Celle par exemple que constitue la disparition en masse des espèces vivantes sous les coups de butoir de l'agriculture industrielle, de la déforestation (qui en est souvent la conséquence), de l'urbanisation et du changement climatique. Celle de l'épuisement des ressources naturelles à force d'une production effrénée de biens. Celle de la pollution chimique et plastique généralisée, qui met en danger notre santé et les écosystèmes marins. Celle de la guerre ou de l'accident nucléaire...

Mais, si vous avez eu le courage de lire ce premier chapitre, vous avez certainement compris que la situation est grave, sans doute plus grave que vous ne le pensiez.

La question suivante que nous pourrions nous poser est : avons-nous encore du temps devant nous pour résoudre tous ces problèmes ?

Au regard des dernières contributions sur le sujet, il est raisonnable d'en douter.

Christiana Figueres, vice-présidente de la Convention mondiale des maires pour le climat et l'énergie, rejointe par de nombreux scientifiques et responsables politiques, déclarait en juin 2017 dans la revue *Nature*[25] qu'il ne restait que trois ans pour drastiquement réduire nos émissions de gaz à effet de serre (GES) afin de maintenir la planète sous la barre des 2 °C de réchauffement fatidiques.

Le 13 novembre 2017, 15 364 scientifiques de 184 pays cosignaient un manifeste appelant les dirigeants et citoyens du monde à se réveiller : "Pour éviter une misère généralisée et une perte catastrophique de biodiversité, l'humanité doit adopter une alternative plus durable écologiquement que la pratique qui est la sienne aujourd'hui [...]. Il sera bientôt trop tard pour dévier de notre trajectoire vouée à l'échec[26]."

Yves Cochet, ancien ministre de l'Environnement français et président de l'Institut Momentum, qui rassemble scientifiques et chercheurs pluridisciplinaires, est encore plus pessimiste. Dans une tribune datée du 23 août 2017, il se lançait dans une tentative de planning[27] : "Bien que la prudence politique invite à rester dans le flou, et que la mode intellectuelle soit celle de l'incertitude quant à l'avenir, j'estime au contraire que les trente-trois prochaines années sur Terre sont déjà écrites, grosso modo, et que l'honnêteté est de risquer un calendrier approximatif. La période 2020-2050 sera la plus bouleversante qu'aura jamais vécue l'humanité en si peu de temps. À quelques années près, elle se composera de trois étapes successives : la fin du monde tel que nous le connaissons (2020-2030), l'intervalle de survie (2030-2040), le début d'une renaissance (2040-2050)."

Une multitude d'autres calendriers sont avancés chaque année et on pourra toujours objecter que la plupart des prédictions sur le futur se sont révélées fausses, que des ruptures technologiques pourraient intervenir et bouleverser la donne... Mais la simple prudence inviterait tout de même à considérer que, quel que soit le calendrier, nous avons déjà trop tardé.

Il est temps d'agir.

2

CHAQUE GESTE COMPTE SI...

Q uelle réponse apporter à un tel déchaînement de phénomènes cataclysmiques ? Voilà une question que je ne cesse de me poser depuis dix ans. Comme la plupart de ceux qui partagent ces préoccupations, j'ai commencé par suivre la piste de l'engagement militant. Ainsi, fin 2006, avec Pierre Rabhi, Isabelle Desplats, Jean Rouveyrol et quelques amis, nous avons mis sur pied le mouvement Colibris, qui tire son nom d'une légende amérindienne désormais bien connue : "Un jour, dit la légende, il y eut un immense incendie de forêt. Tous les animaux terrifiés, atterrés, observaient impuissants le désastre. Seul le petit colibri s'activait, allant chercher quelques gouttes avec son bec pour les jeter sur le feu. Après un moment, le tatou, agacé par cette agitation dérisoire, lui dit : « Colibri ! Tu n'es pas fou ? Ce n'est pas avec ces gouttes d'eau que tu vas éteindre le feu ! » Et le colibri lui répondit : « Je le sais, mais je fais ma part. »"

Pierre Rabhi, qui a beaucoup raconté cette légende, l'utilise comme une illustration du fait que nous ne sommes pas impuissants face au désastre, que nous pouvons tous exercer notre responsabilité, notre libre arbitre, notre pouvoir sur une situation donnée. Nous pouvons "faire notre part". Pas pour sauver le monde, pas parce que nous savons que notre action fera toute la différence, mais simplement parce que notre conscience, nos valeurs nous le dictent.

Comme le rapporte Olga Wormser[1] à propos des détenus dans les camps de concentration, "dans la proximité physique et morale la plus horrible, lorsque la privation d'un morceau de pain pouvait causer mort d'homme, lorsqu'une conversation, un rassemblement pouvaient ouvrir le chemin du crématoire, lorsque la foi religieuse était proscrite, lorsque la fidélité à des convictions politiques était un crime, il s'est trouvé des hommes et des femmes pour organiser la solidarité, pour sauver des vies, pour s'opposer à la volonté

I. Historienne française, spécialiste de l'histoire de la déportation pendant la Seconde Guerre mondiale.

de mort des SS et de leurs séides ; des prêtres ont donné la communion, des groupes d'hommes ont organisé la Résistance[1]."

D'une certaine façon, le colibri agit parce que, pour lui, il n'y a rien de mieux à faire. Tant mieux si les autres animaux le rejoignent, tant mieux si la pluie se met à tomber, en attendant il "fait sa part", comme ces hommes et ces femmes confrontés à l'innommable ; habité par une pulsion de vie. On pourrait voir dans cette légende l'idée que dans chacun de nos gestes repose une parcelle du monde. Et que ce monde est plus que jamais le fruit de l'addition de nos actes, même les plus infimes. Nos sociétés tiennent grâce à cette trame que de petites mains tissent chaque jour en choisissant la solidarité, la générosité plutôt que l'égoïsme, de prendre soin plutôt que de détruire, d'accomplir des tâches parfois ingrates, parfois noyées dans un océan d'actions contraires, parce que c'est ce qui leur semble juste. On pourrait ainsi se dire que l'addition de milliards de petits gestes qui choisissent de jeter plutôt que de réparer, d'aller à l'hypermarché plutôt que dans un commerce indépendant, d'acheter sur Amazon plutôt que chez son libraire, de prendre sa voiture plutôt que son vélo, d'acheter moins cher des vêtements fabriqués à l'autre bout du monde dans des conditions peu ragoûtantes pour en acheter plus souvent, de manger deux fois par jour de la viande, finit aussi par façonner le monde tel qu'il est. C'est la base de l'action des ONG depuis des années : encourager chacun à changer son mode de vie. C'est par là que j'ai décidé de commencer à agir.

Or, cette conception est aujourd'hui battue en brèche. D'abord par les chiffres. Malgré toutes les actions de sensibilisation et malgré une prise de conscience grandissante, nous consommons toujours plus de pétrole, de ressources, émettons toujours plus de CO_2, entraînons la disparition de toujours plus d'espèces. Ensuite par des penseurs, comme le philosophe slovène Slavoj Žižek. Pour lui, "le discours écologique dominant nous interpelle comme si nous étions *a priori* coupables, en dette envers notre mère Nature, sous la pression constante d'un surmoi écologique : « Qu'as-tu fait aujourd'hui pour dame Nature ? As-tu bien jeté tes vieux papiers dans le conteneur de recyclage prévu à cet effet ? Et les bouteilles en verre, les canettes ? As-tu pris ta voiture alors que tu aurais pu circuler à vélo ou emprunter les transports en commun ? As-tu branché la climatisation au lieu d'ouvrir les fenêtres ? » Les enjeux idéologiques d'une telle individualisation sont évidents : tout occupé à faire mon examen de conscience personnel, j'en oublie de me poser des questions bien plus pertinentes sur notre civilisation industrielle dans son ensemble[2]." C'est peu ou prou la pensée que développent d'autres auteurs/activistes comme Will Falk lorsqu'il parle de tous ceux qui, ayant pris conscience du saccage de notre planète, sont enfermés dans un système de culpabilité perpétuelle, tout contraints qu'ils sont de contribuer, par leur mode de vie, à cette entreprise de destruction massive : "En passant leur temps à recycler, signer des pétitions sur internet et recourir au covoiturage pour aller travailler, ils apaisent leur conscience enflammée, se murmurant à eux-mêmes : *Au moins, je ne suis pas en train de détruire la planète[3].*" Pour Will Falk comme pour de nombreux membres du mouvement de la Deep Green Resistance (DGR) auquel il appartient, il n'est plus temps de penser par "petits gestes", il faut passer à l'étape supérieure, comme le clame Derrick Jensen dans son texte *Oubliez les douches courtes* : "Une seule personne sensée aurait-elle pu penser que le recyclage aurait arrêté Hitler, que le compostage aurait mis fin à l'esclavage ou qu'il nous aurait fait passer aux journées de huit heures, que couper du bois et aller chercher de l'eau au puits aurait sorti le peuple russe des prisons du tsar, que danser nus autour d'un feu nous aurait aidés à instaurer la loi sur le droit de vote de 1957 ou les lois des droits civiques de 1964 ? Alors pourquoi, maintenant que la planète entière est en jeu, tant de gens se retranchent-ils derrière ces « solutions » tout à fait personnelles ? Une partie du problème vient de ce que nous avons été victimes d'une campagne de désorientation systématique. La culture de consommation et la mentalité capitaliste nous ont appris à prendre nos actes de consommation personnelle (ou d'illumination) pour une résistance politique organisée[4]."

Alors que, pour Derrick Jensen, cette prétendue résistance politique est inefficace. Et il suffit de regarder quelques chiffres pour s'en convaincre. On vous répète à l'envi que prendre une douche plutôt qu'un bain permettra d'économiser les ressources hydriques de la planète ? En réalité, 92 % de l'eau utilisée sur la planète l'est par l'agriculture (70 %) et l'industrie (22 %)[I]. Vous triez, vous compostez, vous réparez pour limiter les déchets qui envahissent le globe ? Mauvaise nouvelle, les déchets des ménages représentent seulement 3 % de la production totale de déchets aux États-Unis et 8,3 % en Europe[II]. Idem pour l'énergie où la consommation individuelle représente environ 25 % de la consommation globale[5]...

Ce qui fait dire à Kirkpatrick Sale, activiste et écrivain proche de la DGR : "Le sentiment de culpabilité individualiste du tout-ce-que-tu-pourrais-faire-pour-sauver-la-planète est un mythe. Nous, en tant qu'individus, ne créons pas les crises, et nous ne pouvons pas les résoudre[6]."

Voilà de quoi démoraliser bon nombre d'apprentis écologistes qui pensaient certainement tenir le bon bout après avoir opté pour le vélo, réduit leur consommation de viande ou changé toutes leurs ampoules. Peut-être faut-il alors engager des actions politiques, si

I. Moyenne assez différente selon les pays. Ainsi, en France, 48 % sont utilisés pour l'irrigation, 22 % pour la production d'énergie (essentiellement pour le refroidissement des centrales nucléaires), 6 % pour l'industrie et 24 % pour les usages domestiques : www.cieau.com/le-metier-de-leau/ressource-en-eau-eau-potable-eaux-usees/qui-preleve-et-consomme-leau-en-france/ et www.planetoscope.com/consommation-eau/239-consommation-d-eau-dans-le-monde.html.
II. Moyenne qui cache de très grosses disparités : 1,7 % en Finlande contre 32,3 % au Portugal. La France est dans l'axe médian avec 8,8 %... Tous les chiffres sur ec.europa.eu/eurostat/statistics-explained/index.php/File:Waste_generation_by_economic_activities_and_households,_EU-28,_2014_(%25)_YB17-fr.png.

l'action individuelle est à ce point inopérante. C'est en tout cas ce que pensent nombre d'activistes qui tentent, par tous les moyens, de contraindre nos dirigeants à prendre des mesures plus écologiques ou plus respectueuses des droits sociaux. Mais, là encore, est-ce véritablement efficace ?

La paralysie politique

Depuis des années, nous assistons ou participons à des campagnes nationales ou internationales destinées à faire pression sur les gouvernements. Sur le plan écologique, la plus spectaculaire fut certainement le Pacte écologique lancé par la Fondation Nicolas Hulot lors de l'élection de 2007. Signé par 900 000 personnes, relayé et soutenu par une coordination de 70 ONG, l'Alliance pour la planète, il accouchera en décembre 2007 du Grenelle pour l'environnement, lancé en grande pompe par le président Sarkozy entouré du président de la Commission européenne de l'époque, Manuel Barroso, et des deux prix Nobel de la paix Al Gore et Wangari Maathai. Lorsqu'on relit la déclaration[7] que prononça à cette occasion le président français, on est tenté de sourire ou peut-être de pleurer. Nicolas Sarkozy appelait à l'époque à "une révolution écologique", soutenait le principe d'une taxe carbone, soulignait que notre "modèle de croissance est condamné", défendait le principe de précaution "qui doit être interprété comme un principe de responsabilité". Et appelait son ministre de l'Agriculture, Michel Barnier, à mettre sur pied un plan pour réduire de 50 % l'usage des pesticides dans les dix ans à venir. Dix ans plus tard, il n'y a pas eu de révolution ou de "New Deal" écologique, aucune taxe carbone n'a été entérinée, le modèle de croissance se porte bien (enfin, mieux depuis que la croissance est repartie à la hausse) et le fameux plan Écophyto voté en 2008 n'a pas eu les résultats escomptés, bloqué par l'inertie ou même l'opposition du syndicat majoritaire agricole, de nombreux industriels de l'agroalimentaire et des lobbys de toutes sortes. Malgré une certaine bonne volonté affichée par le ministère, réaffirmée par l'un de ses successeurs, Stéphane Le Foll, qui élabora le plan Écophyto 2[I] (quand le 1 ne marche pas, il y a toujours un 2, c'est le contraire de ce qui se passe au cinéma), l'utilisation de pesticides en France a progressé de 20 % entre 2009 et 2016[8].

En réalité, les gouvernements, seuls, sont bien souvent impuissants (ou réticents) pour opérer des transformations d'envergure. Tout va trop vite. Noyés dans un déluge d'informations, de réactions médiatiques, toute la journée mobilisés par des agendas délirants, les conduisant de visites officielles en réunions, d'inaugurations en tournées commerciales, les membres des gouvernements n'ont pas le temps d'anticiper, de prendre du recul, ils sont souvent cantonnés à réagir et ont parfois de la peine à mobiliser leur administration. La dictature du court terme et la volonté de gagner les prochaines élections les cantonnent à des mesures qui se doivent d'être spectaculaires ou du moins rapidement efficaces. Il reste peu de place pour des transformations d'envergure, des plans ambitieux sur dix ou vingt ans, comme le réclameraient la lutte contre le changement climatique ou la disparition des espèces. Beaucoup d'anciens politiciens témoignent d'ailleurs de la frustration que leur fonction engendre, de la distorsion énorme entre la perception de l'opinion publique, qui croit que le pouvoir se loge dans leurs bureaux capitonnés, et la réalité de leur impuissance. Barack Obama, tout porté qu'il fut par un vaste mouvement populaire aux États-Unis et par une formidable aura internationale, n'aura réussi à faire passer qu'une grande mesure – l'assurance maladie – avant de perdre la majorité au Sénat et d'être paralysé pour les six

---

I. Il déclarait le 2 février 2016 dans l'émission *Cash Investigation* : "Je me bats pour que ce soit réduit."

années suivantes. Comme l'aurait laconiquement confié François Mitterrand à son épouse Danièle en 1983 : "Nous avons gagné le gouvernement mais pas le pouvoir[9]." Les responsables politiques sont réduits à gérer la réalité, ils n'ont plus la capacité de l'orienter. La complexité est devenue trop grande. Ils sont en perpétuelle adaptation. Certains s'obstinent pourtant à essayer d'obtenir des résultats. D'autres rendent les armes et se concentrent sur ce qui est atteignable : garder le pouvoir. Pour cela, ils orientent leurs politiques en fonction des enquêtes d'opinion et des opportunités. François Hollande est sans doute le président français qui a poussé le plus loin une forme de cynisme sur ce plan. Dès son élection, il avait théorisé que la seule chose qui ferait une différence au moment de sa tentative de réélection serait l'inversion de la courbe du chômage. Le reste était accessoire. C'est donc ce qu'il entreprit de faire. Malheureusement il s'y prit à l'envers pendant deux ans et, après avoir redressé la barre, finit par obtenir des résultats mais... trop tard. C'est son successeur qui profite désormais de l'embellie économique. D'autres maintiennent leur position au pouvoir en s'alliant aux entreprises les plus influentes qui, elles, façonnent le monde. C'est particulièrement vrai aux États-Unis où ces entreprises financent les partis politiques et ont une influence majeure sur les élections. Même une fois les élections passées, le poids du lobbying financier (payer des politiciens), psychologique (les entreprendre constamment) ou à travers les *revolving doors*[1] est considérable.

Le pouvoir n'est plus vraiment entre les mains de ceux qui prétendent le détenir et monopolisent l'attention lors des spectacles électoraux.

---

1. Ce terme désigne le va-et-vient de salariés de grandes entreprises – banques, compagnies pétrolières et désormais entreprises de la Silicon Valley – qui prennent des responsabilités dans l'administration publique, puis retournent dans le privé.

Action individuelle ou action collective ?

Pour moi, ce débat opposant action individuelle et collective est biaisé. Il est posé comme s'il fallait choisir entre les deux, alors qu'il paraît évident qu'il ne faut pas agir seul ou à plusieurs, dans notre quotidien ou politiquement, mais qu'il est nécessaire de faire l'un ET l'autre.

Agir individuellement n'est pas inutile. Jensen finit par dire lui-même : "Soyons clairs. Je ne dis pas que nous ne devrions pas vivre simplement. Je vis moi-même assez simplement, mais je ne prétends pas que ne pas acheter grand-chose (ou ne pas conduire beaucoup, ou ne pas avoir d'enfants) est un acte politique fort, ou profondément révolutionnaire. Ça ne l'est pas. Le changement personnel n'est pas égal au changement social[10]." Affirmation que je tempérerais. Car certes, regardées sous un certain angle, les actions individuelles peuvent sembler dérisoires comparées aux activités systémiques agricoles, industrielles ou macro-économiques. Mais on pourrait aisément adopter un autre point de vue... Si les grandes entreprises ou les collectivités polluent, gaspillent, détruisent, c'est dans l'objectif de produire des biens de consommation ou des services destinés à des individus. Si ces individus cessent d'acheter ces produits et services, ces activités ne pourront que se réduire.

Prenons l'exemple de l'alimentation. Aujourd'hui en France, quatre centrales d'achats (Carrefour, Système U/Auchan, Leclerc, Casino/Intermarché) concentrent 92,2 % des ventes en valeur (et 88,5 % en volumes) de "produits de grande consommation et frais libre-service[11]". Et il en va de même à l'échelle européenne[12]. C'est ce qu'on appelle l'effet nœud papillon. La majorité des producteurs d'un côté, la majorité des consommateurs de l'autre et, au milieu, la gare de triage que constituent ces quatre ou cinq sociétés. Cette position leur confère un pouvoir considérable pour fixer les prix, influencer les conditions de production et déterminer l'avenir du modèle agroalimentaire français. Elles encouragent directement l'agriculture industrielle qui, comme nous l'avons vu, gaspille l'essentiel de l'eau et participe de façon majeure aux émissions de gaz à effet de serre. Elles collaborent étroitement avec les multinationales de l'agroalimentaire qui ont, elles aussi, une incidence majeure sur la production de déchets, les pratiques agricoles, les transports de marchandises, les processus industriels de production... À première vue, le pouvoir économique et structurel de ces sociétés paraît indéboulonnable. Leur capacité de nuisance, démesurée par rapport à celle des pauvres bougres que nous sommes. Mais qui donne leur pouvoir à ces mastodontes ? Qui les enrichit un peu plus chaque jour ? Qui leur assure cette position dominante sur le marché de l'alimentation, leur permettant d'exercer une telle influence ? Leurs clients. Ce sont les millions de personnes qui, chaque jour, vont remplir leurs caddies dans les rayons de leurs hangars géants. Ce que Coluche résumait par "Quand on pense qu'il suffirait que vous arrêtiez de les acheter pour que ça se vende pas..." Évidemment, on pourrait objecter que ce sont également les choix politiques qui ont conduit la France à prendre l'option du tout-supermarché dans les années 1960 (à coups de subventions, de campagnes d'incitation...), comme elle a pris l'option nucléaire. J'en conviens. Mais, à nouveau, ce modèle ne peut tenir que par le consentement de chacun d'entre nous à y participer. Si une majorité d'individus cessait de s'approvisionner en nourriture ou en produits de toutes sortes auprès des grandes compagnies qui polluent, gaspillent, transportent le plus, elles perdraient une bonne partie de leur capacité de nuisance. Le problème est de parvenir à convaincre une majorité de personnes. C'est là qu'intervient le besoin de récits communs, de contexte dans lequel ces actions s'inscrivent. Ainsi mises en œuvre – articulées avec de nombreuses autres –, les actions individuelles sont fondamentales. Non seulement parce qu'elles s'additionnent, mais également parce qu'elles sont le ferment de transformations culturelles plus vastes. On peut donner l'exemple de la consommation de produits bio qui explose depuis plusieurs années, consolidant l'un des rares secteurs qui ne connaissent pas la crise. Le chiffre d'affaires relatif à la vente de produits bio a doublé depuis 2010 et a été multiplié par 7 depuis 1999. Or, cette croissance se fait en très grande majorité par les achats des particuliers[13]. Ce n'est donc pas un hasard si de nombreuses marques se sont mises à proposer des gammes bio, si – par conséquent – la surface agricole en bio a été multipliée par 3 depuis dix ans (même si elle est toujours largement insuffisante), si des formations se sont développées dans les lycées agricoles et si des propositions de loi toujours plus nombreuses cherchent (pas toujours avec succès) à limiter l'usage de pesticides. L'une d'elles a d'ailleurs abouti en 2016. Portée par le sénateur écologiste du Morbihan Joël Labbé, elle a bénéficié d'un large soutien des ONG, de citoyens divers et variés, soutien qui a pu s'exprimer à travers la plateforme Parlement & Citoyens. Le principe est simple : permettre à des parlementaires de soumettre une proposition de loi au public et de solliciter son aide pour l'enrichir, l'amender, puis la promouvoir. Grâce à la coopération efficace d'élus (ledit sénateur, appuyé par d'autres parlementaires puis par la ministre de l'Écologie de l'époque, Ségolène Royal) et de citoyens, la loi interdisant l'utilisation de pesticides dans l'espace public a été promulguée puis mise en application le 1er janvier 2017.

Ces changements sont encore mesurés et, pour véritablement faire la différence, ils auraient besoin d'investissements d'envergure des entreprises et de se traduire par d'autres lois à portée plus vaste : réorienter les subventions européennes, contraindre les acteurs publics à fournir toutes leurs cantines avec une alimentation locale et biologique, les agriculteurs à abandonner progressivement les pesticides et à transformer leurs pratiques agricoles...

Pour parvenir à faire passer de telles législations, et contrebalancer le pouvoir des lobbys de toute sorte, les élus doivent s'allier aux citoyens et les citoyens aux élus... C'est ce qu'avait compris Franklin D. Roosevelt – l'un des derniers dirigeants d'une démocratie occidentale à avoir engagé des réformes d'un courage rare – en adoptant une stratégie bien à lui, comme le rapporte Naomi Klein dans l'une de ses conférences : "Quand Roosevelt rencontrait les organisations sociales ou syndicales et qu'elles proposaient des mesures sociales qu'elles voulaient intégrer dans le New Deal, il les écoutait longuement et leur disait : « Descendez dans la rue et obligez-moi à le faire. » En 1937, il y eut 4 740 grèves[14]." Et des avancées sociales comme jamais aux États-Unis.

Pour engager des transformations politiques d'envergure, les citoyens ont besoin de responsables politiques courageux, qui ont eux-mêmes besoin de citoyens par millions pour les soutenir. Derrière chaque belle histoire de responsables politiques qui engagent des mutations démocratiques, écologiques ou sociales, on trouve des stratégies de coopération. Mais ces alliances élus-citoyens ne peuvent tomber du ciel. Je ne peux imaginer que des millions de personnes se mobiliseront pour contraindre leurs gouvernements à mettre en place une politique zéro déchet, la réorientation des subventions agricoles vers le bio, si elles ne sont pas un minimum impliquées dans leur propre quotidien. Je n'imagine pas non plus que des leaders politiques d'un genre nouveau émergent s'ils ne sont pas portés par des mouvements sociaux. Les deux stratégies – agir au quotidien et politiquement – ne peuvent être dissociées à moyen et long terme.

Agir, mais pour faire quoi ?

Admettons donc que ce débat stérile n'ait pas lieu d'être et que, si action d'envergure il doit y avoir, elle ne puisse qu'être pensée à tous les étages, dans une coopération entre élus, entrepreneurs et citoyens. Reste à savoir quoi faire. Car là aussi deux sensibilités s'affrontent.

L'une[1] avance qu'un effondrement généralisé est déjà en cours et qu'il n'est plus temps de l'arrêter. Nous ne pouvons qu'amoindrir le choc. Par "effondrement", Yves Cochet désigne un processus qui conduirait les États et les organisations centralisées à ne plus pouvoir assurer à la majorité de la population les besoins essentiels : nourriture, eau potable, chauffage, électricité, soins, éducation...

Pour une partie de ces penseurs et chercheurs, il est inutile de dépenser son temps et son énergie à vouloir faire se transformer le système de l'intérieur (faire pression sur la politique des gouvernements, tenter de faire changer les multinationales...). Ces mégastructures sont construites pour fonctionner dans le modèle capitaliste, consumériste, fondé sur la croissance. Or, la seule façon d'amortir la catastrophe, c'est de faire décroître drastiquement – par 10, avance Yves Cochet – nos consommations d'énergie, de ressources, ce qui aurait pour conséquence un effondrement de la croissance et du PIB. Enfermés dans une logique qui les rend (qui nous rend) totalement dépendants à la croissance, les États et les entreprises n'ont pas le choix : il faut continuer, au risque de se saborder. Une partie des collapsologues et écologistes "radicaux" envisagent donc une double action : s'opposer au système pour l'empêcher de continuer à tout détruire, et bâtir les conditions de la survie. Pour les tenants de la Deep Green Resistance, il est incontournable de saboter puis de "démanteler" la société industrielle. À la manière des résistants qui faisaient sauter des trains et attaquaient les infrastructures nazies, ils estiment qu'il faut désormais bloquer les raffineries, empêcher la construction des aéroports, des centrales nucléaires, des mégazones commerciales et autres symboles de la fuite effrénée vers toujours plus de consommation-destruction. Ralentir au maximum le saccage, quitte à s'interposer entre la nature et ceux qui veulent continuer à lui faire la peau. Parallèlement, ils cherchent à poser les

---

I. Notamment celle des "collapsologues" en France et de l'Institut Momentum : Yves Cochet, Pablo Servigne, Raphaël Stevens, le réalisateur Clément Montfort, l'auteur Dmitry Orlov...

bases d'une société nouvelle, plus résiliente[I], plus autonome, infiniment plus sobre, où l'essentiel des besoins de base sont satisfaits par une production locale et collective, libérée de l'hégémonie des multinationales. Dans cette société, il y aurait peu de place pour les technologies complexes : resteraient essentiellement les low-tech. C'est ce qu'ont déjà mis en œuvre un certain nombre de zadistes à Notre-Dame-des-Landes, ce que le mouvement mondial Standing Rock a amorcé pour s'opposer à l'oléoduc Dakota...

Évidemment, ce mouvement n'est pas totalement homogène et des courants le traversent. Globalement il est non violent, même si certains en son sein sont partisans d'un affrontement plus musclé. C'est partiellement ce qui inquiète le pouvoir en place. Partiellement, car la composante révolutionnaire qui remet totalement en question les bases du modèle n'est pas suffisamment développée pour constituer une réelle menace idéologique. Ces écologistes sont majoritairement décroissants, anticapitalistes, parfois anarchistes, promoteurs d'une société fondée sur la simplicité et libre de tout pouvoir centralisateur qui chercherait à asservir le plus grand nombre ou à monopoliser les richesses.

L'autre "école" d'écologistes pense qu'il est encore temps de faire muter la société et déploie des trésors d'énergie pour mobiliser le plus largement possible citoyens, entrepreneurs et responsables politiques. Avec là aussi des différences notables entre, d'une part, les tenants de la "croissance verte", du "développement durable" à la sauce RSE[II], qui se contentent bien souvent d'aménager l'existant : recycler un peu plus, faire baisser les dépenses d'énergie, améliorer les processus de fabrication pour limiter l'impact sur l'environnement, sans remettre en question le cœur du modèle capitaliste-consumériste[III], et,

I. Capacité d'encaisser les chocs sans s'effondrer.
II. La responsabilité sociale et environnementale.
III. Les efforts, souvent bien réels, des directeurs de la RSE ou du développement durable s'arrêtent généralement lorsque la profitabilité des activités est trop impactée.

de l'autre, un grand nombre d'ONG, de mouvements, d'entrepreneurs sociaux, d'élus locaux qui comprennent que les fondamentaux sur lesquels repose l'économie de marché capitaliste ne sont plus viables, qu'il est indispensable de réduire drastiquement notre utilisation d'énergie et de matière, de répartir plus équitablement les richesses, que de nouveaux modèles sont à inventer (j'y reviendrai plus loin), mais qui croient possible de conserver une partie des acquis de la modernité et de la technologie pour les mettre au service d'une humanité plus respectueuse de la nature et de ses semblables. La question que ce mouvement tente d'élucider est : quel équilibre trouver entre modernité et écologie ?

En 2016, j'ai été durement interpellé par des membres de la DGR m'accusant de promouvoir de "fausses solutions" parce que nous vantions les énergies renouvelables dans *Demain*. À raison. Car, comme beaucoup d'écologistes, nous avions tendance à laisser supposer que ces énergies sont "propres". Or, si les sources d'énergie sont renouvelables (le vent, le soleil, l'eau, la biomasse), les technologies, elles, ne le sont pas. Pas plus que celles de l'internet, des smartphones, des ordinateurs... Même si elles ont fait d'incontestables progrès, elles demandent encore l'utilisation de métaux, de matériaux que nous continuons à extraire de la croûte terrestre, à une vitesse folle, laissant derrière nous des terres dévastées et des êtres humains exploités[15]. Ces technologies demandent de produire des objets, des installations qui détruisent les espaces naturels ou empiètent sur eux. Des barrages surdimensionnés peuvent provoquer de terribles catastrophes écologiques comme celle qui a eu lieu au Brésil en 2015[I], exproprier des peuplades, perturber des écosystèmes... En réalité, la quasi-totalité des activités humaines a un impact sur la biosphère. La véritable question que posait cette interpellation

I. La rupture de deux barrages miniers a libéré des dizaines de milliers de mètres cubes de boue polluée dans le Minas Gerais. La coulée a ensuite frayé son chemin vers l'océan, provoquant un désastre sur les écosystèmes, reporterre.net/Le-Bresil-frappe-par-la-pire-catastrophe-ecologique-de-son-histoire.

(et que pose le débat entre écologistes radicaux et écologistes plus modérés) est : devons-nous chercher à minimiser le plus possible l'impact de ces activités ou devons-nous les arrêter ? Les énergies renouvelables sont certainement à ce jour l'une des moins mauvaises manières de produire de l'énergie, comparées aux fossiles et aux fissiles[1]. Mais, si nous ne pouvons produire de l'énergie sans détruire, devons-nous continuer à le faire ? Devons-nous continuer à vivre avec de l'électricité ? Avec des moyens de locomotion nécessitant des infrastructures telles que des routes ou des rails ? Devons-nous continuer à vivre dans des villes ? Les partisans de la Deep Green Resistance ne le pensent pas tous. Ils posent même une question plus fondamentale : l'être humain a-t-il une place particulière dans l'écosystème Terre ou devrait-il être une espèce parmi d'autres, ni plus ni moins importante ? Dans l'un de ses derniers ouvrages, *The Myth of Human Supremacy (Le Mythe de la suprématie humaine)*, Derrick Jensen, l'un des penseurs du mouvement, répond par l'affirmative. L'humain est un animal parmi d'autres. Sans doute le plus invasif et le plus destructeur de la planète. Et, à partir du moment où il entreprend de construire des cités, des routes, il commence à coloniser un espace dévolu aux autres espèces. Or, la maîtrise de l'électricité et des énergies fossiles a surmultiplié sa capacité à détruire et à envahir. Tout cela doit donc cesser, et vite.

Ce projet de nous réenchâsser dans la nature à la manière des peuples premiers est-il souhaitable ? Il le serait assurément pour les plantes et les animaux qui auraient à nouveau l'espace de s'épanouir. Mais pour les humains, je ne saurais le dire. Voilà une question philosophique à laquelle il nous sera difficile de répondre tant nous avons passé de siècles à considérer notre domination sur le reste du monde naturel comme acquise. Et tant la remise en question

---

[1]. Bien que cette assertion soit elle-même sujette à débat. Lire notamment *La Guerre des métaux rares – la face cachée de la transition économique et numérique*, de Guillaume Pitron, Les Liens qui libèrent, 2018, ou *L'Âge des low-tech* de Philippe Bihouix, Seuil, 2014.

de cette position nous ferait perdre tout ce que ces siècles de civilisation et particulièrement l'ère industrielle ont apporté comme confort à l'Occident, quasi unanimement considéré comme un gain, un progrès, inaliénable[I].

"Est-il réalisable ?" me paraît une question plus à notre portée. Car le temps joue contre nous.

Un certain nombre de partisans de la DGR ou de collapsologues vous diront que oui. L'effondrement qui vient va balayer notre système industriel et capitaliste. Il nous mettra dans l'obligation de nous réorganiser sans toute cette panoplie de démiurge. Ainsi, la planète pourra reprendre vie. Mais laisser se produire cet effondrement signifiera aussi la mort de centaines de millions de gens, de milliards peut-être. Ce ne seront ni les plus riches, ni les premiers responsables de la situation. Ce seront les plus fragiles. Comment prétendre avoir de l'empathie pour les plantes et les animaux et accepter cela ? Personnellement, je ne peux m'y résoudre. Je pense donc qu'il faut tout faire pour l'éviter ou, si ce n'est pas possible, amortir le choc au maximum.

Lorsque Jensen écrit : "Nous pouvons suivre l'exemple de ceux qui nous rappellent que le rôle d'un activiste n'est pas de naviguer dans les méandres des systèmes d'oppression avec autant d'intégrité que possible, mais bien d'affronter et de faire tomber ces systèmes[16]", il pointe du doigt le nœud du problème. Pour faire tomber ou muter des systèmes, il est nécessaire de faire coopérer des millions de personnes. Et, comme nous allons le voir, la meilleure façon d'y parvenir est de construire un nouveau récit. Or, il me semble qu'un récit proposant de retourner vivre dans la forêt après avoir démantelé la société industrielle a peu de chances de soulever les foules. Pour autant, ce débat nous permet de nous poser la bonne question.

I. En réalité, cette question en pose une autre, encore plus importante : l'être humain, fort de sa spécificité, a-t-il un rôle particulier à jouer dans la partition de notre écosystème Terre ? Et si oui, lequel ?

Selon moi, il ne s'agit pas de se demander "Que faire ?" ou "Devons-nous agir individuellement ou à travers des mobilisations politiques de masse ?" mais : "Dans quelle perspective globale, dans quels récits collectifs nos actions s'inscrivent-elles, aussi petites soient-elles ?"

Car si nos actions quotidiennes se bornent à soulager notre conscience, si elles restent prisonnières du récit dominant nos sociétés, elles n'ont aucun potentiel transformateur. Pire, elles peuvent entretenir la logique qu'elles prétendent combattre : avec tout l'argent économisé sur ma facture d'énergie, je vais me payer un voyage. Puisque McDonald's a une politique de développement durable, je peux continuer à manger des Big Mac ou, mieux, des McVeggie... Puisque la grande distribution fait du bio, je vais pouvoir refaire mes courses à un seul endroit et ne plus acheter aux producteurs locaux ou aux magasins indépendants... La logique même qui préside à notre organisation collective ne sera pas remise en question. Et il en va de même avec des mesures politiques partielles, sectorisées, qui se bornent à minimiser les effets négatifs de la croissance ou du consumérisme, sans les remettre en question.

Le monde dans lequel nous évoluons, façonné par une logique mécanique et industrieuse, s'est ingénié à fragmenter la réalité en une somme d'individus, séparés les uns des autres, organisés en silos. Or, la réalité est infiniment plus complexe qu'une chaîne de montage. Elle est le résultat d'un vaste réseau d'interdépendances. Nous ne pouvons plus réfléchir ou agir indépendamment du reste du monde, nos réponses doivent être complexes, holistiques. Notre découragement vient très souvent du fait que nos actions semblent perdues dans l'océan. Nous avons besoin de les articuler, de les situer dans une stratégie plus globale. Or, les spécialistes de l'organisation collective vous le diront, une stratégie naît d'une vision.

3

CHANGER D'HISTOIRE POUR CHANGER L'HISTOIRE

Il m'aura fallu des années et des années de militantisme dans les ONG pour parvenir à ce simple constat : "Si nous voulons emmener des millions de personnes avec nous, nous devons leur dire où nous allons..." Car si les ONG passent un temps infini à dénoncer, décrypter, alerter, elles consacrent un temps et une énergie dérisoires à proposer un horizon, un récit de ce que pourrait être un monde véritablement écologique. Or, l'imaginaire, les histoires sont très certainement le carburant le plus mobilisateur pour les êtres humains. Pour l'écologiste et auteur anglais George Marshall, qui a mené de nombreuses recherches sur les mécanismes qui conduisent notre cerveau à ignorer la réalité du changement climatique, les histoires "ont une fonction cognitive fondamentale : elles sont le moyen par lequel le cerveau émotionnel donne du sens aux informations recueillies par le cerveau rationnel". Comme il l'explique dans son passionnant ouvrage *Le Syndrome de l'autruche, pourquoi notre cerveau veut ignorer le changement climatique*, "notre long voyage au gré de l'évolution nous a conduits à développer deux systèmes distincts de traitement de l'information. L'un est analytique, logique, et traduit la réalité en symboles abstraits, en mots et en chiffres. L'autre est orienté par les émotions (notamment la peur et l'angoisse), les images, l'intuition et l'expérience. Le langage utilise les deux systèmes mais, dans le système analytique, il est utilisé pour décrire et définir ; dans le système émotionnel, il sert à communiquer du sens, notamment sous forme de récits. [...] C'est au moyen d'histoires que nous, êtres humains, donnons du sens à notre monde, apprenons des valeurs, façonnons nos croyances et donnons une forme à nos pensées, nos rêves, nos espoirs et nos peurs. Les histoires sont partout : mythes, fables, épopées, récits historiques, tragédies, comédies, tableaux, danses, vitraux, films, histoires sociales, contes de fées, romans, schémas scientifiques, bandes dessinées, conversations et articles de journaux. Avant même d'apprendre à lire et écrire, nous entendons plus de trois cents histoires[1]."

Pour l'écrivain Nancy Huston, qui a consacré son essai *L'Espèce fabulatrice* à cette activité constitutive des êtres humains, "nous seuls percevons notre existence sur Terre comme une trajectoire dotée de sens (signification et direction). Un arc. Une courbe allant de la naissance à la mort. Une forme qui se déploie dans le temps avec un début, des péripéties et une fin. En d'autres termes : un *récit*. [...] Le récit confère à notre vie une dimension de sens qu'ignorent les autres animaux. [...] À l'instar de la nature nous ne supportons pas le vide. Sommes incapables de constater sans aussitôt chercher à « comprendre » et comprenons essentiellement par le truchement des récits, c'est-à-dire des fictions[2]."

Pour le professeur Yuval Noah Harari, auteur du mondialement connu *Sapiens, une brève histoire de l'humanité*, il existe une bonne raison pour laquelle l'être humain domine les autres espèces vivantes. Selon lui, il ne s'agit pas de sa capacité à créer des outils (*Homo sapiens* en a créé de tout temps, pourtant, pendant des millénaires, il n'a pas pris le dessus sur les écosystèmes au point de devenir à lui tout seul un phénomène géologique, comme c'est le cas aujourd'hui), il ne s'agit pas non plus de son intelligence particulière (il y a des centaines de milliers d'années, *Sapiens* était déjà l'animal le plus intelligent – selon nos critères –, pourtant, encore une fois, son impact sur la biosphère était faible), mais de son incroyable capacité à coopérer, absolument inédite dans le règne vivant – ce que mettent également en lumière les travaux de David Sloan Wilson, Eliott Sober, Edward O. Wilson et Martin Nowak, qui considèrent les êtres humains comme des "supercoopérateurs"[3]. *Sapiens* est doué pour organiser la coopération non seulement en petits groupes mais – et c'est là sa spécificité par rapport aux autres espèces –, de façon flexible, dans des groupes, comprenant des centaines de millions de personnes. Comment ? À travers ce que Harari appelle une toile de sens intersubjective : un ensemble de concepts qui n'existent que dans leur imagination commune. En d'autres mots : des histoires, des croyances. Pour lui, *Homo sapiens* utilise le langage pour créer des réalités totalement nouvelles⁴. Selon Yuval Harari, George Marshall et Nancy Huston (et ils sont loin d'être les seuls à avancer une telle théorie), l'ensemble de nos constructions individuelles et collectives est une succession de fictions, de croyances qui ont évolué au fil des siècles et bouleversé notre perception du monde. Ainsi, alors qu'il paraissait tout à fait légitime à un jeune noble anglais de partir défendre Jérusalem en 1187 à l'appel du pape et de trucider les Sarrasins, la même famille d'Anglais considérera aujourd'hui que son fils, décidé à partir combattre au nom de Dieu, s'est dangereusement radicalisé. Tandis qu'il semblait dans l'ordre des choses à un paysan du XIIIᵉ siècle qu'un roi exerce sur lui un pouvoir de droit divin sans jamais lui demander son avis, un paysan du XXIᵉ va déverser des tonnes de lisier devant la préfecture s'il considère que le candidat qu'il a élu à la tête de son pays n'a pas respecté son engagement de campagne à son égard. De tout temps, un faisceau d'histoires, de croyances a permis aux sociétés de se souder autour de récits communs, qu'il s'agisse de Dieu, de royaumes, de l'infériorité d'êtres par rapport à d'autres (les femmes par rapport aux hommes, les Noirs par rapport aux Blancs...), du pouvoir absolu de symboles (l'argent aujourd'hui en est un particulièrement puissant) ou d'ennemis contre lesquels il fallait se rassembler (et quelle ne fut pas la stupeur de quelques paysans français partis au front en 1914 lorsqu'ils découvrirent que les paysans allemands leur ressemblaient trait pour trait, avaient peur de la même façon et n'avaient pas plus d'idées qu'eux de la véritable raison pour laquelle ils devaient s'entretuer de la sorte...). Ainsi, ces réalités "intersubjectives", de par leur capacité à mettre en mouvement un nombre exceptionnel d'individus dans un processus de coopération, ont donné naissance aux États, aux systèmes politiques, à la technologie, à l'économie et aux monnaies, aux religions...

Depuis l'invention de l'écriture et du livre, ces récits ont trouvé un support de diffusion et de partage extraordinaire, permettant de toucher une infinité de personnes. La diffusion de la Torah, de la

Bible, du Coran – ou plutôt l'utilisation qui en a été faite – a été le support à l'établissement de systèmes religieux, sociaux et politiques dans de vastes zones du globe et la source de nombreux conflits meurtriers. Mais les fictions assumées (qui revendiquent leur qualité d'œuvre d'imagination) ne sont pas en reste pour inspirer des réalisations d'envergure. Ainsi, lorsque Jules Verne, en 1865, imagine dans son fameux *De la Terre à la Lune* la propulsion d'un obus abritant trois hommes vers le satellite terrestre (en quatre-vingt-dix-sept heures et vingt minutes !), il ne sait pas encore qu'il inspirera H. G. Wells en 1901, dont le roman *Les Premiers Hommes dans la Lune* sera adapté par Georges Méliès au cinéma en 1902 dans *Le Voyage sur la Lune*, et que ce récit ensemencera de nombreuses œuvres ultérieures qui se nourriront les unes les autres : *La Femme sur la Lune*[5] en 1929, où Fritz Lang met en scène l'alunissage d'une fusée, qui inspirera directement le film soviétique *Le Voyage cosmique*[6] en 1936, mais aussi le bédéaste belge Hergé qui publiera en 1953 et 1954 les aventures de Tintin s'envolant dans une fusée, puis Robert Heinlein et Irving Pichel, respectivement auteur du roman et réalisateur du film *Objectif Moon (Destination Lune)*... Un siècle après le livre de Jules Verne, en 1962, il y a fort à parier que ces livres, ces films participèrent à rendre l'annonce publique de John Kennedy ("Nous choisissons d'aller sur la Lune") particulièrement excitante pour tous ceux qui eurent accès à la nouvelle. L'imagination humaine avait suffisamment travaillé pour que la puissance évocatrice du projet mobilise les énergies et permette de le matérialiser, sept ans plus tard, lors de la première mission Apollo. En 2017, Elon Musk, bercé lui aussi par d'innombrables fictions où des êtres humains vont coloniser l'espace, se lance à la conquête de Mars. Et nous pourrions reproduire cet exemple à l'envi. Comme l'observe le professeur Jean-Gabriel Ganascia, spécialiste de l'intelligence artificielle, "pendant de très nombreuses années, la science-fiction s'inspirait de la science pour imaginer des scénarios. Aujourd'hui, on a une sorte d'inversion. C'est la science qui s'inspire de la science-fiction[7]." Bien souvent, l'imagination précède l'action et les récits qui en découlent façonnent nos perceptions, nos croyances, nos cultures, particulièrement à une époque où les histoires bénéficient de canaux si puissants pour être véhiculées.

Il y a quelques mois, j'ai été particulièrement frappé par une enquête menée par l'IFOP auprès d'un échantillon de la population française entre 1945 et 2015[8]. À la question "Quelle est selon vous la nation qui a le plus contribué à la défaite de l'Allemagne en 1945 ?", 57 % des personnes interrogées en 1945 répondaient l'URSS et 20 %, les Américains. En 2004, les proportions s'étaient totalement inversées avec 58 % des sondés qui désignaient les États-Unis, pour 20 % l'URSS (chiffre stable entre 1994 et 2015). En 2015, le sondeur britannique ICM réalisa la même enquête en France, en Allemagne et en Grande-Bretagne. 61 % des Français et 52 % des Allemands désignaient les Américains. Et 46 % des Britanniques, les Britanniques...

Pourtant, les faits plaident largement pour la perception des Français en 1945. Entre 9 et 12 millions de soldats russes ont trouvé la mort durant le conflit, contre 415 000 soldats américains et 384 000 britanniques. Le front de l'Est mobilisait l'essentiel de l'armée allemande et lui occasionnait l'écrasante majorité de ses pertes, y compris entre 1944 et 1945... Mais, entre 1945 et 2004, un autre récit s'était construit, largement propagé par la production cinématographique américaine qui avait mis sur le marché près de deux cents films glorifiant l'épopée libératrice de l'armée de l'Oncle Sam (à quelques exceptions près). À nouveau, l'histoire que se racontent la majorité des sondés n'est pas l'Histoire, mais une histoire, savamment contée.

On peut avancer que le récit de la société libérale, capitaliste, consumériste moderne s'est élaboré et transmis de façon relativement similaire. Soutenu par une myriade de films, d'articles, de livres et de publicités qui l'ont fait triompher du récit communiste. Avant de remporter une victoire politique, les tenants du consumérisme débridé ont d'abord remporté une bataille idéologique et culturelle, une bataille de l'imaginaire. Il fallut donner un visage à ce monde nouveau, le rendre profondément désirable pour que le génie créatif et la force de travail de centaines de millions d'Occidentaux (dopés aux énergies fossiles) se mettent au service de ce projet et lui donnent corps. Avec l'espoir que cette entreprise rendrait leurs vies meilleures. Ce qui, à de nombreux égards, fut le cas, aux dépens de pays largement pillés et d'espèces vivantes sacrifiées.

Aujourd'hui, c'est aux flancs de cet écrasant récit, fait de prouesses technologiques, de vacances sur des plages paradisiaques, d'écrans plats, de smartphones, de filles à moitié nues, de voitures serpentant à flanc de montagne dans des décors de rêve, de livraisons en vingt-quatre heures sur Amazon... que nombre d'écologistes se heurtent. Que pèse une campagne d'ONG face à des millions de messages contraires délivrés chaque jour par les marques, les chaînes, les "influenceurs" de toutes sortes qui inondent les réseaux sociaux ? Que pèse un post de Greenpeace International sur Instagram (628 000 followers) appelant à agir pour le climat, contre un post de Kim Kardashian (105 millions de followers) appelant à acheter son nouveau gloss à paillettes ? Approximativement 10 000 likes contre 2 millions.

Comme l'explique Harari dans son ouvrage, *Homo Deus*, la fiction n'est pas mauvaise en soi. Elle est primordiale. Si nous ne disposions pas d'histoires autour desquelles nous fédérer, nous n'aurions ni États, ni monnaies, ni entreprises, ni civilisations. Aucune société humaine, dans sa complexité ne pourrait exister ou fonctionner. Nous avons besoin de récits qui nous rassemblent, nous permettent de coopérer et donnent du sens à notre vie en commun. Mais ces récits, ces fictions ne sont que des outils, pas des vérités ou des buts en soi. Si nous l'oublions, nous déclenchons des guerres politiques, économiques, religieuses, dans l'objectif de défendre des concepts qui n'existent que dans notre imagination. Nous pillons les ressources, éradiquons les espèces au nom d'histoires, de fictions. Il y a dans cette idée quelque chose de tragique. Dès lors, pourquoi ne pas décider d'en élaborer d'autres ? Parce que les choses ne se passent pas aussi simplement, comme nous allons le voir.

4

CE QUI FAIT TENIR LA FICTION ACTUELLE

Pourquoi ne réagissons-nous pas ? Voilà une question qu'un enfant de six ans pourrait poser en nous voyant nous débattre dans les méandres de nos réflexions. Car, théoriquement, nous disposons des ressources nécessaires : nous sommes nombreux, dotés d'une créativité et d'une inventivité qui nous ont permis de réaliser les prodiges énumérés dans l'introduction de ce livre, nous avons établi un diagnostic de nos difficultés et connaissons bon nombre de solutions. Mais nous ne faisons rien ou pas grand-chose. Comme si nous nous trouvions dans un train et que nous le regardions, impuissants, foncer vers l'abîme.

Il existe de nombreuses raisons à cela, notamment psychologiques, que j'aborderai plus loin, mais je voudrais m'attacher à celle qui me semble la plus importante à ce stade : le conditionnement induit par le récit dans lequel nous évoluons et les architectures qui régissent nos vies. Ce que Jean-François Noubel appelle les "architectures invisibles".

Le récit est comme l'eau où nagent les poissons, l'air que nous respirons, nous ne le voyons plus, mais il est omniprésent, il baigne nos cellules, influence notre vision du monde et, par là même, nos choix. Nous sommes incapables de penser en dehors de notre récit puisque nous le confondons avec la réalité. Ce récit se traduit par la suite en architectures, qui orientent la majeure partie de nos comportements quotidiens. Elles constituent les cadres qui déterminent ce que nous "devons" faire ou ce que nous croyons choisir de faire.

Pour comprendre ces deux notions, il est intéressant d'observer à quoi nous occupons le plus clair de notre temps.

En 2017, un Français consacre en moyenne chaque jour de la semaine, cinq heures trente à travailler[1], huit heures à regarder des

---

[1]. Un Français travaillerait en moyenne 1 928 heures par an, soit, ramené à une journée, 5,3 heures. Chiffre trompeur, comme tous les chiffres et moyennes qui masquent de grandes disparités entre des personnes travaillant 52 heures par semaine et d'autres 32... (abonnes.lemonde.fr/les-decodeurs/article/2016/06/17/les-francais-travaillent-ils-vraiment-moins-que-les-autres-europeens_4953056_4355770.html).

écrans[I], sept heures à dormir[II], une ou deux heures à manger, une heure et demie à se déplacer[III] et le reste à vaquer à des occupations diverses. Aussi déprimant que cela puisse paraître, l'essentiel de notre temps éveillé, de notre énergie, de notre créativité est donc consacré à interagir avec un écran ou à exercer une activité professionnelle. Cet état de fait s'explique aisément lorsqu'on examine l'une des plus puissantes fictions de notre époque : la religion de la croissance. Pour nous, êtres humains occidentaux du XXIe siècle, l'économie mondialisée et financiarisée est l'activité clé de voûte de nos sociétés. C'est elle qui garantit la production de nos richesses, la satisfaction de nos besoins, l'amélioration de notre confort et, depuis plus de soixante-dix ans, une relative paix (du moins en Europe). Or, ce modèle économique a besoin, pour assurer sa survie, d'une croissance continue et sans limites[IV]. Cette fameuse croissance qui nous demande de produire et consommer sans répit et qui, si elle se concentre sur des activités extractives et matérielles, implique de détruire toujours plus de ressources naturelles et d'entasser toujours plus de déchets.

I. À peu près quatre heures devant la télévision et quatre à des activités numériques (smartphone, tablette, ordinateur). On voit bien que ce temps passé sur le web, les réseaux sociaux, dévolu à jouer ou à flâner, est très certainement inclus dans celui des transports, du repas, du travail... En revanche, ce temps de huit heures ne comprend pas celui passé devant un ordinateur à travailler... (www.emarketer.com/Article/Media-Time-Will-Tilt-Digital-France-2017/1014720).

II. Une nuit de sommeil d'un Français dure en moyenne 7 h 13 (futura-sciences.com/sante/actualites/medecine-nuit-sommeil-france-dure-moyenne-7-heures-13-minutes-42827/).

III. Cinquante minutes pour aller sur son lieu de travail et en revenir, auxquelles s'ajoutent les temps de déplacement pour le reste de ses activités : courses, école, loisirs... (abonnes.lemonde.fr/societe/article/2015/11/02/les-francais-mettent-en-moyenne-50-minutes-pour-l-aller-retour-domicile-travail_4801698_3224.html).

IV. Il y a plusieurs raisons à cela, notamment le mécanisme de création monétaire fondé sur le crédit. Voir à ce sujet l'interview de Bernard Lietaer dans mon précédent ouvrage *Demain, un nouveau monde en marche*, Actes Sud, "Domaine du possible", 2015. À lire également, l'explication limpide de Yuval Harari dans son ouvrage *Homo Deus* ou le grand classique *Halte à la croissance ?*, du couple Meadows, trad. Jacques Delaunay, Fayard, 1973.

Première architecture : gagner sa vie

Pour assurer cette croissance, il est indispensable que les citoyens occidentaux du XXIe siècle fassent marcher le commerce, comme ceux du début du XXe devaient faire tourner l'industrie (désormais majoritairement délocalisée en Asie). C'est à cela que nous prépare notre éducation – au sens large du terme – depuis notre plus jeune âge. Comme l'écrit l'économiste américain Jeremy Rifkin : "L'un des grands objectifs du mouvement qui a créé l'école publique en Europe et aux États-Unis était de stimuler le potentiel productif de chaque être humain et de créer une main-d'œuvre efficace pour promouvoir la révolution industrielle[1]." À partir des années 1970, alors que la fameuse révolution industrielle avait transformé l'Occident, l'école, tout comme la société, s'est transformée. Désormais elle s'ingénie, en plus de transmettre des connaissances, à préparer les élèves à s'insérer dans une société de consommation, libérale, mondialisée, compétitive, obnubilée par la croissance, le profit, l'argent... Car pour fonctionner dans la société occidentale contemporaine nous devons disposer de suffisamment d'argent, autre fiction omniprésente de notre époque. C'est lui qui nous donne accès à tous les biens et services assurant notre survie et notre bien-être. Soit nous héritons de cet argent, soit – pour une écrasante majorité – il nous faut nous le procurer à travers un revenu, dispensé en échange de notre force de travail, de notre créativité, de notre matière grise. Dès le plus jeune âge, nous intégrons donc cette équation (en recul certes, mais tenace) : si j'ai de bonnes notes, je peux espérer décrocher un diplôme, trouver un emploi, qui m'assurera un salaire et me permettra de payer loyer, nourriture, chauffage, électricité... Ce revenu, en plus d'assurer ma sécurité, fera de moi un consommateur et me donnera accès à une myriade d'objets, de vêtements, de biens ou de services qui traduiront mon statut social. Me garantira l'appartenance à la communauté.

Cette dépendance à l'argent est devenue si forte dans notre société moderne, très peu autonome, où tous nos besoins sont peu ou prou satisfaits par un achat – contrairement à d'autres sociétés vernaculaires où la production de nourriture, de vêtements, la construction sont assurées par la mise en commun de savoir-faire locaux –, que je rencontre désormais des collégiens ou des lycéens qui, lorsque je leur demande, au cours de conférences dans leur établissement, ce qu'ils veulent "faire plus tard", me répondent, droits dans leurs bottes : "Gagner de l'argent."

La façon de se procurer ce revenu est aujourd'hui supposée faire l'objet d'un choix. Supposée, car dans une classe de trente élèves, je dirais qu'une partie congrue seulement trouvera le moyen d'allier la contrainte du travail à une réelle aspiration personnelle et épanouissante. Ces élèves feront un métier qu'ils aimeront, sans mettre l'argument financier en première ligne. Mais la majorité se fera une raison : l'emploi est rare et obligatoire (notre vie en dépend), mieux vaut donc en trouver un rapidement, le mieux payé possible, quitte à s'asseoir sur nos envies ou nos rêves. Parmi ceux-là, certains trouveront le moyen de s'adapter et déploieront quelques-unes de leurs qualités dans leur métier, construiront tant bien que mal "une carrière", maintenant au mieux l'équilibre entre cette activité obligatoire et le reste de leur existence. Ils parviendront même à rationaliser ce choix et à se convaincre qu'ils "aiment" leur métier. D'autres (souvent plus vulnérables, issus de familles disposant de peu de moyens financiers et par conséquent de moins d'opportunités d'accès à la culture, aux voyages, aux rencontres, à différents métiers) intégreront pleinement la notion d'"aller au chagrin". Le travail restera une sorte de prison, de passage obligé, pour encaisser la précieuse – mais souvent bien maigre – paye de fin du mois. Pour compenser cette situation frustrante et dégradante – devoir vendre ses aspirations, son intelligence, son temps en échange d'un salaire –, tous profiteront autant que possible des divertissements que la société de consommation leur offre : acheter, jouer, s'amuser, regarder des écrans, voyager... Ne percevant pas toujours qu'ils se sont mis tout entiers au service du système économique global : lorsqu'ils travaillent, comme lorsqu'ils consomment, ils font tourner la machine à croissance et à profit. Qui ne profite pleinement qu'à un tout petit nombre de personnes[1].

Une dernière portion, marginale, de notre groupe tentera bien de se rebeller et de piller le système qui l'opprime : dealers, voleurs, braqueurs, hackers... Mais l'objectif sera bien de récupérer un maximum d'argent, quel qu'en soit le moyen, pour participer à son tour à la société de consommation. Les revenus du trafic de cannabis ou de cocaïne servent le plus souvent à acheter des voitures, des scooters, des iPhone ou des écrans plats. Et, comme le raconte un ancien dirigeant d'une chaîne de magasins, "dans certaines enseignes indépendantes de banlieue, les deux tiers des produits haut de gamme sont réglés en espèces. Et c'est là que l'on fait nos plus gros chiffres d'affaires[2]". Le capitalisme de marché peut dormir tranquille...

Une fois ce revenu assuré, il doit être dépensé, comme nous venons de le voir. Peut-être même dépensé plusieurs fois. Car la croissance ne peut connaître de ralentissement. Or, comme l'ont rapidement constaté les fabricants d'ampoules, de bas ou de réfrigérateurs, vendre un produit solide que le client ne rachètera que dans de longues années conduit le marché à se saturer et, une fois la majorité des consommateurs équipés, les ventes stagnent puis

---

I. En 2013, moins de 10 % de la population mondiale détenaient 83 % du patrimoine mondial (www.inegalites.fr/spip.php?article1393). En 2017, triste record, huit personnes détenaient autant d'argent et de richesses que 3,6 milliards d'autres : www.oxfam.org/fr/salle-de-presse/communiques/2017-01-16/huit-hommes-possedent-autant-que-la-moitie-de-la-population. En France, les 20 % les plus riches concentrent 43 % des revenus, tandis que les 50 % les plus pauvres possèdent à peine 8 % du patrimoine. Chiffre emblématique : la patronne de L'Oréal, Liliane Bettencourt, possédait début 2017 – elle est décédée depuis – plus de 31,2 milliards d'euros, ce qui représente l'équivalent de 1,77 million d'années de salaire minimum (SMIC) : abonnes.lemonde.fr/les-decodeurs/article/2017/05/30/dix-graphiques-qui-illustrent-les-inegalites-en-france_5136168_4355770.html.

dégringolent. Il faut alors ouvrir de nouveaux marchés ou renouveler ceux qu'on a déjà investis. Des stratégies d'obsolescence programmée, qui consistent à fabriquer un produit pour que sa durée de vie soit limitée dans le temps, et d'obsolescence psychologique, qui consistent à rapidement démoder un produit pour donner envie d'en racheter un autre, se sont développées afin de soutenir la consommation partout sur la planète. Dès lors, encouragés par la publicité, par la mode, par notre insatiable soif de nouveauté, nous achetons, achetons et achetons encore, bien au-delà de ce qui nous est nécessaire pour vivre satisfaits. Vous aviez une télévision ? En voici une plus grande, plus plate, dont l'écran permettra de rendre les moindres nuances des films haute définition que vous n'achèterez peut-être jamais, qui se branche à internet pour vous donner accès à un torrent de programmes plus excitants les uns que les autres, que vous n'aurez sans doute jamais le temps de regarder, que vous pouvez agrémenter d'un dispositif sonore "home cinéma" hors de prix qui vous donnera l'illusion d'être dans une salle obscure, les voisins en moins et le pyjama en plus... Délaissez donc cette vieille voiture (qui a de toute façon perdu la moitié de sa valeur en trois ou quatre ans), ce vieux jeans, ce vieux four. Jetez vos CD et achetez donc ce système tout-en-un, débarrassé des fils, au son phénoménal dans des enceintes minuscules, et, à la réflexion, rachetez cette platine vinyle, tellement tendance, avec laquelle vous pourrez redécouvrir le craquement si chaud des enregistrements originaux. Vous aviez jeté vos vinyles ? Qu'à cela ne tienne, ils ont été réédités, plus chers, plus lourds et, pour le même prix, vous pourrez télécharger les morceaux sur un serveur qui consomme plus d'énergie que tout votre immeuble chaque jour... Bref. Pour soutenir ce rythme infernal, il sera peut-être nécessaire de travailler plus, de vous endetter, de passer moins de temps avec ceux que vous aimez. Mais ce n'est pas grave. Le samedi, vous aurez la satisfaction de vous promener dans les rues commerçantes ou, mieux, dans les centres commerciaux près de chez vous et de revenir les bras chargés, le coffre rempli et le portefeuille allégé, repu de gadgets, de meubles ou de vêtements pour la journée. Avant que le cycle infernal ne recommence. Mais cela n'est que du menu fretin, car le plus gros défi qui vous attend est certainement de vous loger pour la vie. Car, on vous l'a longuement expliqué, jeter de l'argent par les fenêtres chaque mois, ce n'est pas raisonnable. Ce n'est pas se comporter en bon gestionnaire. Il vous faudra donc acheter votre maison ou appartement. Et pour cela vous endetter pour les quinze, vingt, vingt-cinq prochaines années. Pendant lesquelles vous n'aurez plus d'autre choix que de continuer à travailler, même si ce travail ne vous plaît pas. Car il faut rembourser la maison. Évidemment vous pourriez la vendre, repartir de zéro, mais l'expérience montre que ce n'est pas ce qui se produit le plus fréquemment. Le crédit nous oblige, nous enchaîne bien plus souvent qu'il ne nous libère.

À nouveau, je brosse le tableau à gros traits. Mais le constat est là : si elles n'avaient pas besoin d'argent pour vivre et pas de crédit sur le dos pendant deux décennies, peu de personnes feraient le même métier qu'aujourd'hui[1]. Une partie ne travaillerait tout bonnement pas. Ou, en tout cas, pas dans l'acception actuelle du terme.

---

[1]. Différentes enquêtes ont essayé de sérier la question. Dans un sondage de l'institut GfK en 2013, 42,7 % des Français interrogés déclaraient aimer leur travail, "mais sans plus" : www.bfmtv.com/societe/moins-moitie-francais-aiment-travail-648324.html. Une autre étude, *Parlons travail*, lancée par la CFDT en 2016, qui semble plus large mais qui possède quelques biais, ayant une population de répondants volontaires, a interrogé 200 000 personnes (les auteurs de l'étude admettent d'ailleurs que cet échantillon pondéré ne peut être considéré comme "représentatif de la population des salariés en France. On peut seulement assurer qu'il présente une structure convenable au regard des variables sociodémographiques de base"). Parmi les personnes interrogées, 77 % déclaraient aimer leur travail, mais seulement 39 % continueraient de travailler (sans que l'on sache si elles effectueraient le même travail) si elles gagnaient au Loto ; 25 % exercent aujourd'hui le métier dont elles rêvaient avant de commencer à travailler ; 84 % déclarent travailler "avant tout pour subvenir à leurs besoins" (analyse.parlonstravail.fr/).

Deuxième architecture :
une vie de divertissement

Mais ce n'est pas à travailler qu'un Occidental consacre désormais la majorité de son temps. Comme je l'écrivais plus haut, un Français passe désormais huit heures par jour devant son écran, en moyenne (quatre heures de télévision et quatre heures sur internet tous supports confondus, hors temps de travail). Un Américain en passe dix. Cette habitude, qui concernait essentiellement la télévision ces dernières décennies, s'est désormais démultipliée en une infinité de possibilités, en ligne, hors ligne, pour regarder des films, des vidéos, jouer, lire des articles, échanger sur les réseaux sociaux, tchater, consommer de la pornographie, sur une pléiade d'objets que nous pouvons emporter partout et consulter à n'importe quel moment. Et le pli est pris, dès le plus jeune âge. À tel point que des médecins alertent désormais sur le danger d'exposer trop tôt les enfants à une réalité virtuelle susceptible de grever leur bon développement sensoriel et psychomoteur, de modifier leur comportement et de créer de graves déficits de l'attention[3]. Mais la tendance est là et, selon le site planetoscope.com, un garçon de treize ans passe 6,71 heures par jour – en moyenne – devant un écran, soit plus de 102 jours sur 365. Près de 28 % de son temps de vie.

Cette explosion du temps rivé à une fine pellicule de verre rétro-éclairée ne doit rien au hasard. D'abord, l'univers que ces lucarnes nous ont ouvert sur le monde est proprement époustouflant : la possibilité de communiquer avec des personnes à l'autre bout de la planète en temps réel, d'élaborer ensemble des contenus, d'avoir accès à une mine d'informations faramineuse sur le moindre sujet qui nous passe par la tête, voyager par procuration, découvrir de nouvelles cultures, voir et savoir ce que chacun de ses amis fait (ou montre) grâce aux réseaux sociaux, mobiliser en masse autour de causes justes, mais également répondre à notre besoin permanent de sollicitation, de stimulation, nous divertir, tromper l'ennui... Nos outils numériques possèdent en eux-mêmes d'indéniables qualités. Ils répondent à notre soif d'infini et ils sont désormais le véhicule privilégié de toutes nos histoires à travers Netflix, l'Apple Store, les plateformes de cinéma en continu ou de VOD, les centaines de chaînes de télévision, YouTube, les consoles de jeux, les réseaux sociaux... Des milliers de récits portés par des films, des séries, des jeux vidéo sont disponibles à toute heure et en tous lieux. Instagram et Facebook nous invitent d'ailleurs à alimenter et à partager nos *"stories"*...

Mais dans une société capitaliste, consumériste, où la croissance économique est indispensable, cet espace ne pouvait manquer d'être investi par de grandes compagnies, avides d'orienter notre curiosité vers des objectifs marchands. Ainsi, notre attention est désormais considérée comme une ressource fondamentale qu'il s'agit de capter pour accroître le profit. De brillants ingénieurs de la Silicon Valley s'emploient à appliquer la recherche sur les mécanismes de notre cerveau pour créer des applications qui aiguisent notre curiosité, excitent notre système nerveux, activant les mécanismes hormonaux de la récompense, du plaisir. C'est ce que l'ancien de Google Tristan Harris appelle "l'économie de l'attention". L'enjeu est de la capter et de ne plus la lâcher. À chaque instant, une notification (un SMS, un e-mail, un retweet, un like, un snap) peut apparaître sur notre smartphone, sur le coin de notre écran d'ordinateur, notre tablette, une petite sonnerie peut retentir, déclencher la sécrétion de dopamine et nous donner l'irrésistible envie de plonger à nouveau dans cet océan de contenus, d'interactions, de distraction. Insidieusement, nous prenons l'habitude de nous déconcentrer. À tel point que nous finissons par nous interrompre nous-mêmes toutes les trois minutes et demie pour un petit tour sur nos outils numériques. Petit tour qui se transformera en moyenne en balade de vingt minutes[4]. Or, chaque fois que nous nous déconcentrons, il nous faut en moyenne vingt-trois minutes pour nous concentrer à nouveau. En moins de dix ans, la concentration moyenne est tombée de douze à huit secondes. Nous serions devenus si conditionnés qu'une étude citée par le *Guardian* montre que la présence d'un smartphone, même éteint, contribue à perturber la concentration de son propriétaire[5].

Pourquoi cette attraction est-elle si forte ? Pour Tristan Harris[6], les mécanismes du smartphone sont calqués sur ceux de la machine à sous. "Chaque fois que je vérifie mes e-mails, mon fil Facebook, le fil d'actualité de mon média préféré, c'est exactement comme si je tirais la poignée de la machine à sous, pour voir ce que je vais obtenir." Mécanisme si puissant que lui-même avoue : "J'ai beau être ingénieur, designer, connaître le mécanisme, les ressorts psychologiques de cette technologie, cela ne m'empêche pas d'être irrésistiblement attiré." Et il n'est pas le seul. Aux États-Unis, les machines à sous rapporteraient plus d'argent que les parcs d'attractions, les films et le baseball combinés.

Mais il ne s'agit pas uniquement de voir si nous avons gagné. Recevoir des tombereaux de likes sur nos posts vient titiller notre besoin de reconnaissance, à moindre coût. Il suffit de rafraîchir la connexion et de jouer encore. De chercher la citation, l'image, la blague qui fera mouche. Et, si ce n'est pas le cas, de jouer, encore. De partager notre indignation, de photographier nos œufs à la florentine dans ce superbe petit bar à brunch, notre chaton, le coucher de soleil sur cette plage de rêve ou cette vidéo d'un chien qui secourt un homme en détresse. Et de jouer encore. Rechercher l'approbation du plus grand nombre, la valorisation de cette identité numérique – nouvelle fiction – que nous avons créée et que nous exposons aux yeux de tous. Pour les plus jeunes, plus accrochés à Snapchat qu'à Facebook, le réseau social est devenu l'endroit des discussions, de la seconde vie de la communauté. Ne pas y être est une source d'exclusion, de souffrances. Combien ai-je vu d'enfants supplier leurs parents de leur offrir un smartphone – parents initialement rétifs à confier un téléphone à un enfant de dix ans – pour enfin pouvoir participer aux échanges sans fin, aux vannes, aux happenings numériques qui ont lieu dès la fin des cours. L'application est si addictive (Justin Rosenstein, designer du bouton like sur Facebook et de la messagerie GChat de Google, la compare à l'héroïne) que nombre d'enfants qui sont amenés à passer un moment hors connexion – pour un voyage à l'étranger, par exemple – demandent à leurs amis de continuer à poster pour eux pour ne pas perdre leurs flammes, symboles de leur amitié numérique. Même punition avec Instagram. Les filles d'une amie m'expliquaient que, lorsqu'elles viennent en France (elles vivent en Angleterre), elles demandent à leurs copines de poster à leur place pour alimenter leurs *"stories"*.

Tout cela ne serait pas bien grave si cette fréquentation assidue de son téléphone n'amenait pas à décrocher de la réalité physique. Car, comme le décrit Tristan Harris dans une interview à *L'Obs*, "le problème est que notre téléphone met un nouveau choix au menu, qui sera toujours mieux en apparence, plus gratifiant, que la réalité[7]". La queue au supermarché ? Une heure à tuer à l'aéroport ? Une conversation à table qui devient ennuyeuse ? Et si on allait faire un tour sur notre petite lucarne, remplie de fictions de toutes sortes, pour voir ce qui s'y passe ? "Le téléphone est cette chose qui entre en compétition avec la réalité, et gagne. C'est une sorte de drogue. Un peu comme les écrans de télévision, mais disponibles tout le temps et plus puissants." À la longue, continue-t-il, "nous devenons de moins en moins patients avec la réalité, surtout lorsqu'elle est ennuyeuse ou inconfortable. Et comme la réalité ne correspond pas toujours à nos désirs, nous revenons à nos écrans, c'est un cercle vicieux... Or, la réalité virtuelle ou immersive risque de devenir plus persuasive que la réalité physique. Et qui voudrait rester dans le réel quand on lui propose de faire l'amour avec la personne de ses rêves ou d'aller cueillir des arcs-en-ciel ? Et je ne suis pas dans un truc futuriste, là, Facebook a déjà sorti son Oculus Rift[1]."

I. L'un des premiers casques de réalité virtuelle.

C'est peu ou prou ce qu'a constaté la docteur en psychologie Jean M. Twenge, qui a publié les conclusions de son étude sur l'impact des smartphones sur les adolescents américains dans le mensuel *The Atlantic*[8] : "Je pense qu'on apprécie plus nos téléphones que les vraies gens", lui a confié une jeune fille de treize ans, qui vit avec un iPhone dans la main depuis l'âge de onze ans. Et la description de son quotidien semble le prouver : peu ou pas de sorties entre amis, essentiellement l'école et des heures passées à interagir avec les autres sur Snapchat, dans sa chambre. Dès 2012 (année où la proportion d'Américains possédant un smartphone a dépassé les 50 %), Twenge observe des changements comportementaux et émotionnels brutaux chez les adolescents. Elle croit d'abord à une erreur, mais ces tendances se confirment les années suivantes. La scientifique avoue n'avoir "jamais rien vu de tel" en vingt-cinq ans de travail sur les différences entre générations. Plus ses travaux se précisent et plus elle mesure que cette nouvelle génération (née entre 1995 et 2012, qu'elle baptise bientôt iGen) a été façonnée par l'émergence concomitante des smartphones et des réseaux sociaux. Certes, ces adolescents sont moins exposés aux accidents de voiture, consomment moins d'alcool, ont des relations sexuelles plus tardives, mais ils sont, selon la chercheuse, à la lisière de la pire crise concernant leur santé mentale depuis des décennies. Ils sortent plus rarement entre amis, ont nettement moins de relations amoureuses[I], donc moins de relations sexuelles[II], recherchent moins l'indépendance (passent moins leur permis, travaillent infiniment moins pour gagner un peu d'argent), désirent beaucoup moins partir de chez leurs parents (étant donné qu'une bonne partie de leur vie sociale se passe sur leur téléphone ils en ont moins besoin/envie), passent moins de temps à faire leurs

I. À peine 56 % des lycéens sont "sortis" avec une fille ou un garçon en 2015, contre 85 % dans la génération X, née entre 1961 et 1981 ou entre 1966 et 1976, selon les sociologues.
II. 40 % de relations sexuelles en moins chez les élèves de seconde, la première relation arrivant désormais un an plus tard, en moyenne, que chez la génération X.

devoirs, communiquent et partagent moins avec leur famille. Le temps en commun est remplacé par du temps solitaire, en ligne, les lieux de rencontre et d'amusement, souvent troqués contre des espaces virtuels. On pourrait espérer que cela les rend plus heureux. Mais une étude conduite par le Monitoring the Future Survey, fondé par le National Institute on Drug Abuse, montre clairement le contraire. Depuis 1975, les chercheurs interrogent chaque année des élèves de terminale et depuis 1991 des élèves de seconde et de première sur de nombreux aspects de leur vie et sur leur sentiment de bonheur. Les résultats sont édifiants. Sans aucune exception, tous les élèves qui passent plus de temps que la moyenne à pratiquer des activités impliquant un écran se sentent moins heureux que ceux qui passent plus de temps que la moyenne sans écran. Et de loin. En réalité, plus un enfant passe de temps devant son écran, plus il est à même d'exprimer des symptômes dépressifs[I]. Pour la chercheuse, le fait d'interagir par l'intermédiaire de la technologie, de documenter sans relâche leurs interactions physiques lorsqu'elles ont lieu, de chercher anxieusement l'approbation des autres par les likes amplifie le sentiment d'être laissés de côté chez ceux qui ne sont pas invités aux sorties, augmente la pression sur "comment il faut être" ou pas. Le sentiment d'être exclu a ainsi augmenté de 48 % chez les filles de seconde et de 27 % chez les garçons du même âge entre 2010 et 2015. De plus en plus d'adolescents dorment avec leur téléphone, se réveillent dès qu'une notification le fait vibrer ou sonner, surfent sur les réseaux sociaux avant de se coucher, reprennent l'appareil dès qu'ils ont ouvert un œil, en parlent comme d'un doudou ou d'une extension de leur corps. Les écrans en général ont fait chuter le taux de sommeil dramatiquement[II]. Manque de sommeil qui conduit à

I. Un élève de seconde usager intensif des réseaux sociaux accroît son risque de dépression de 27 %. Globalement, les symptômes dépressifs des garçons ont augmenté de 21 % et ceux des filles de 50 % entre 2012 et 2015.
II. Le nombre d'ados américains en manque de sommeil a augmenté de 77 % comparé à 1991.

de nombreux autres troubles. Certes, il s'agit des États-Unis mais le temps passé par les adolescents français sur leur smartphone est sur le point de rattraper celui des jeunes outre-Atlantique. On peut donc supposer que la tendance est proche.

Au-delà de la légitime inquiétude que cette étude peut susciter chez les parents, elle a le mérite de mettre une autre réalité en lumière : les écrans ne se contentent pas de nous divertir et d'attirer notre attention pour que Facebook ou Google engrangent des milliards de dollars de revenus publicitaires, ils induisent une autre relation à la réalité, d'autres choix, où la prise directe sur le réel, dans sa complexité, est parfois gommée par cette intermédiation simplifiée, colorée, divertissante. C'est ce que s'est attaché à étudier le philosophe-réparateur de motos Matthew Crawford dans son essai *Contact*. Selon lui, "la réalité est traitée à travers un écran de représentation qui protège un moi fragile du monde en rendant celui-ci inoffensif et prépare le sujet à se soumettre aux « architectures du choix » élaborées par tels ou tels fonctionnaires de l'ajustement psychologique[9]". En d'autres mots, les ingénieurs de la Silicon Valley, les publicitaires, les directeurs des programmes des grands médias, etc. Cette tentative d'échapper aux difficultés de l'"hétéronomie[1]", en mettant le monde réel et ses contraintes à distance, nous prive de l'acquisition de compétences précieuses à notre développement et à notre bonheur. Elle nous isole et nous rend plus vulnérables, plus influençables, réceptacles d'une pensée standardisée, prémâchée. Et oriente nos choix. Elle peut également renforcer une sorte de fantasme d'individualisme ultime, déraciné, capable de mener son existence hors de toute attache et de toute contrainte, résolvant les difficultés grâce à des applications. Des préoccupations telles que le changement climatique ou la disparition des espèces peuvent dès

---

I. L'hétéronomie est le fait qu'un être vive selon des règles qui lui sont imposées, selon une "loi" subie. L'hétéronomie est l'inverse de l'autonomie, où un être vit et interagit avec le reste du monde selon sa nature propre *(Wikipédia)*.

lors apparaître nébuleuses et abstraites pour des habitants de zones urbaines où le premier contact avec la nature est le fond d'écran de leur iPad. Quant à l'idée de participer au bon fonctionnement d'une démocratie, qu'elle soit locale, nationale ou européenne, comment ne pas sentir poindre le découragement qu'occasionnera la confrontation directe avec tant de personnes qui ne partagent pas nos points de vue, dans des discussions sans fin, alors qu'il serait si facile de se laisser bercer par le flux de contenus que notre écran prodigue, par la simplicité d'un like ou d'une émoticône rageuse pour commenter le titre d'un article sur la politique gouvernementale avec nos amis numériques et de fantasmer ensemble d'hypothétiques révolutions canalisées par Facebook, comme ce fut partiellement le cas lors des révolutions arabes... Car en plus d'orienter nos clics et nos décisions, les algorithmes peuvent nous maintenir dans des bulles affinitaires, où nous croisons essentiellement ceux qui partagent nos opinions. Ces fameuses bulles incriminées dans le phénomène des *fake news* et qui auraient contribué à renforcer le phénomène Trump, tout en le rendant invisible aux personnes évoluant dans d'autres bulles, où les électeurs de "l'Agent Orange" n'existaient pas. Ce cloisonnement préoccupe particulièrement Lawrence Lessig, professeur de droit à Harvard, constitutionnaliste réputé et l'un des premiers penseurs du web : "Nous ne réalisions pas qu'internet allait aussi changer profondément la nature des communautés, la manière dont elles accèdent à l'information et la digèrent. Nous sommes passés de plateformes communes pour avoir de l'information [comme la télévision] à des plateformes de plus en plus fragmentées. Et les algorithmes qui alimentent les gens en informations sur les plateformes comme Facebook produisent de plus en plus un monde dans lequel chacun vit dans sa propre bulle d'information. Or, dans ce monde-là, l'idée même d'une action politique orientée vers l'intérêt général est presque impossible. Nous ne savons pas comment construire un espace dans lequel les gens pourraient discuter des mêmes questions politiques, à partir d'un cadre commun et d'une compréhension partagée des faits[10]." L'alliance entre des puissances financières considérables et l'orientation des comportements que permet aujourd'hui le web mine nos démocraties. Pour de nombreux observateurs scientifiques ou essayistes, poursuivre cette trajectoire pourrait ultimement nous conduire à une forme de totalitarisme inédit. Le contrôle des biotechnologies, des algorithmes informatiques, de l'intelligence artificielle et des data (toutes ces informations qui sont recueillies à votre propos chaque fois que vous allez sur un site, que vous passez un coup de fil, que vous envoyez un e-mail ou un SMS), pourrait permettre à une petite classe d'individus – déjà capable de comprendre nos façons de penser et de les influencer – d'organiser un néoféodalisme, plus puissant et plus inégalitaire que tout ce que l'humanité a jamais connu. Des millions d'êtres humains pourraient être remplacés par des machines et devenir, en quelques années, une vaste "classe inutile". Les quelques détenteurs de ce pouvoir hors norme[1] ne se contenteraient plus d'accumuler les richesses, ils seraient en mesure de modeler nos corps, nos cerveaux, nos esprits et de construire des mondes virtuels d'une puissance sans égale. Au lieu de nous opposer à ce futur, passablement effrayant, notre passivité, notre addiction numérique nous conduiraient à entériner ces directions confectionnées par nos fameux "architectes du choix". Le seul moyen de nous opposer serait démocratique. Ce qui nous amène à une autre architecture essentielle.

Troisième architecture : les lois

Qu'elles soient issues de votes démocratiques, de traditions religieuses ou de régimes totalitaires, les lois – et les Constitutions ou

I. Aujourd'hui les dirigeants des géants du web : les GAFAM américains (Google, Apple, Facebook, Amazon, Microsoft), les BATX chinois (Baidu, Alibaba, Tencent et Xiaomi) ou encore les NATU (Netflix, Airbnb, Tesla, Uber).

livres révélés qui les encadrent – conditionnent elles aussi nos agissements, notre organisation sociale et nos interactions. Là encore se déroulent des fictions aux influences considérables. Et qui parfois se heurtent les unes aux autres. Dans certains pays, ou dans certaines communautés, les lois supposément divines, édictées par des autorités religieuses, régissent le sort des femmes, des animaux, la sexualité, la santé, l'alimentation, les comportements sociaux... Dans les sociétés occidentales actuelles, plutôt laïques[1], ce sont celles édictées par la version radicale de l'islam, et particulièrement le wahhabisme, qui se heurtent le plus à celles élaborées par la démocratie et la tradition des droits humains, héritée des Lumières. Il y aurait une passionnante réflexion à mener sur les fictions que constituent les religions et sur leur remise en question. Je ne me sens aucune compétence pour la mener. En revanche, il me paraît essentiel – et plus dans mes cordes – de se pencher quelques instants sur celle que constitue notre modèle démocratique et sur la question peu consensuelle "Vivons-nous réellement en démocratie ?".

Le mot "démocratie" vient de deux racines grecques, *dêmos*, le peuple, et *kratos*, le pouvoir. Il désigne pour le Petit Robert "une doctrine politique d'après laquelle la souveraineté (l'autorité suprême) doit appartenir à l'ensemble des citoyens".

Les fondements de la démocratie française remontent à la Révolution de 1789, qui en édicta les principes. À ce moment, nous apprend le site gouvernemental *Vie publique*, les partisans d'une démocratie représentative et d'une démocratie directe se sont affrontés. Et les premiers l'ont emporté. Parmi lesquels un certain abbé Sieyès (l'un des principaux artisans de la Révolution) qui déclarait dans son discours du 7 septembre 1789 : "Les citoyens qui se nomment des représentants renoncent et doivent renoncer à faire

I. Les États-Unis constituant une variation hybride, où des États entiers ont banni la théorie de l'évolution de leurs manuels scolaires, lui préférant l'hypothèse que "le ciel et la terre" ont été créés par Dieu il y a sept mille ans.

eux-mêmes la loi ; ils n'ont pas de volonté particulière à imposer. S'ils dictaient des volontés, la France ne serait plus cet État représentatif ; ce serait un État démocratique. Le peuple, je le répète, dans un pays qui n'est pas une démocratie (et la France ne saurait l'être), le peuple ne peut parler, ne peut agir que par ses représentants[11]."

Parmi les perdants, un certain Rousseau, partisan de la démocratie directe, disait quant à lui du régime parlementaire anglais : "Le peuple anglais pense être libre, il se trompe fort ; il ne l'est que durant l'élection des membres du Parlement : sitôt qu'ils sont élus, il est esclave, il n'est rien[12]."

Rousseau et Sieyès exagéraient-ils ? Sommes-nous privés de tout pouvoir entre deux votes et une fois dotés de représentants ? Étudions plus attentivement les mécanismes de notre Vᵉ République.

Tous les cinq ans, nous élisons au suffrage universel direct notre président de la République et nos députés. Tous les six ans nos maires, à échéances variables nos conseillers généraux et régionaux.

Durant leurs mandats, que peuvent faire les citoyens si :

a. leurs élus ne respectent pas la volonté populaire ?

b. ils outrepassent leurs décisions (comme ce fut le cas lors du référendum de 2005 sur la Constitution européenne) ?

c. ils se rendent coupables de délits divers et variés ?

Pour être destitué, un président doit faire l'objet d'une procédure impliquant les deux chambres : Sénat et Assemblée nationale[I]. Dans la mesure où la proximité d'un président avec les parlementaires de sa majorité est souvent grande (particulièrement depuis la mise en place du quinquennat où Assemblée nationale et président de la République sont élus en même temps, pour la même durée, supprimant toute possibilité d'alternance et de cohabitation, sauf en cas de dissolution), il est assez improbable que cela se produise, même dans le cas où ledit président se serait rendu coupable de

---

I. Réunis en Haute Cour : modification constitutionnelle de 2007.

délits d'une certaine gravité. Le pouvoir des citoyens sur l'exécutif s'exerce donc par l'intermédiaire du législatif.

Hic, du côté des parlementaires, les citoyens n'ont pas de pouvoir non plus. Ils n'élisent pas directement les sénateurs et ne peuvent destituer un député. Comme il est clairement expliqué dans *Vie publique*, "les parlementaires ne sont pas tenus par un mandat impératif de leurs électeurs. Ainsi, même si les élus ne respectent pas leurs engagements de campagne, leurs électeurs ne peuvent écourter leur mandat. Cette règle permet de préserver la liberté d'opinion des parlementaires, notamment dans leur appréciation de l'intérêt général."

Le pouvoir sur le législatif est en réalité du côté de... l'exécutif ! Le président peut dissoudre l'Assemblée et provoquer de nouvelles élections législatives.

Ces deux pouvoirs sont eux-mêmes contrôlés par le judiciaire (dans une certaine limite pour l'exécutif qui bénéficie d'un statut pénal particulier). Les citoyens ont-ils alors le pouvoir d'élire les magistrats, garants de l'intégrité des autres pouvoirs (comme aux États-Unis) ? Non. Les juges sont nommés par le garde des Sceaux. Est-il élu par les citoyens ? Pas plus. Il est nommé par le Premier ministre, lui-même nommé par le président de la République.

Alors, quel pouvoir reste-t-il aux citoyens souverains que nous sommes entre deux votes si l'une des situations *a*, *b* ou *c* se produit sans être résolue ? La Constitution de 1958 stipule que "la souveraineté nationale appartient au peuple, qui l'exerce par ses représentants et par la voie du référendum". Il nous reste donc, outre le vote, le référendum, seule voie permettant aux citoyens de participer directement à l'élaboration de la loi (fait possible mais extrêmement rare, qui se produisit trois fois dans la Ve République). Seulement voilà, le référendum ne peut être organisé qu'à l'initiative... d'élus. Généralement du président de la République.

Autre problème, les élus sont en mesure de contourner le vote populaire par référendum, comme ce fut le cas avec celui organisé sur la Constitution européenne, de 2005. 55 % des Français ont voté non à sa ratification. Quatre ans plus tard, le texte fut ratifié par le Parlement sous une autre forme (un traité), mais avec le même contenu, sans nouvelle consultation[1]. Bref, les pouvoirs sont minces, pour ne pas dire nuls. Et nous pouvons raisonnablement nous demander : "Est-ce la démocratie quand, après avoir voté, nous n'avons pas la possibilité d'avoir de l'influence sur les élus ?" Que faire lorsque nos représentants n'apportent pas de réponses à des problèmes aussi cruciaux que le chômage de masse, le dérèglement climatique, l'épuisement des ressources, la disparition accélérée des espèces vivantes, la faim dans le monde... ? Et lorsque, à chaque nouvelle élection, les mécaniques des grands partis poussent à une alternance entre deux formations qui ne proposent rien de nouveau ? Et qu'à chaque nouvelle élection nous sommes confrontés à la douloureuse sensation de choisir par défaut, en nous demandant parfois si ce geste, acquis de haute lutte, sert encore à quelque chose d'autre qu'éviter la montée au pouvoir des extrêmes ? Peu de choses.

Mais, après tout, cela n'aurait pas d'importance si les responsables politiques s'attachaient à mettre en œuvre les aspirations des personnes qu'ils représentent. Mais est-ce réellement le cas ? Lorsque je dirigeais l'ONG Colibris, nous avions réalisé un sondage avec l'IFOP[13], en amont des élections présidentielles de 2012, pour l'évaluer. Les résultats permettent d'en douter. 95 % des personnes interrogées déclaraient qu'il leur paraissait essentiel de réduire l'utilisation des produits phytosanitaires (engrais, pesticides) dans un souci de limiter la pollution de l'eau, de l'air, des sols et les risques pour la santé. Parmi elles, 41 % estimaient même qu'il fallait aller vers un modèle agricole totalement biologique. 64 % estimaient qu'il fallait développer les énergies renouvelables et abandonner progressivement les énergies fossiles et le nucléaire. 75 %, qu'il fallait lutter

---

1. Une révision de la Constitution française, effectuée par la voie du Congrès le 4 février 2008 au château de Versailles, a permis la ratification du traité lui-même par la voie parlementaire le 8 février.

fortement contre la spéculation pour privilégier l'économie réelle. Évidemment, il ne s'agit que d'un sondage. Mais les résultats (et le décalage avec les orientations effectives du gouvernement français depuis) sont édifiants. Ils sont le fait de la paralysie que j'évoquais précédemment, mais pas uniquement. Et il ne s'agit pas que d'une problématique française, loin de là.

Il y a quelques années, l'université de Princeton a conduit une étude utilisant les données de 1 800 politiques publiques entre 1981 et 2002. Elle mettait en lumière que ces politiques étaient bien plus souvent orientées par "l'élite économique et les groupes organisés pour défendre ses intérêts" que par la volonté populaire démocratique. Les universitaires concluaient, laconiques, que les États-Unis n'étaient techniquement plus une démocratie mais une sorte d'oligarchie[14]...

Effectivement, si la démocratie est, comme le déclarait Lincoln lors de son discours de Gettysburg, "le gouvernement du peuple, par le peuple, pour le peuple", nous sommes loin du compte. Nous serions plutôt tenté de donner raison à Rousseau qui écrivait dans *Du contrat social* : "S'il y avait un peuple de dieux, il se gouvernerait démocratiquement. Un régime si parfait ne convient pas à des hommes[15]."

Les architectures du choix

Ce que j'appelle "les architectures", sont donc ces éléments structurants qui régissent nos vies sans que nous en ayons forcément conscience, contribuant à orienter nos décisions, nos actions, monopolisant notre temps et notre énergie. Les lois, la nécessité de gagner de l'argent et les algorithmes informatiques portés par les écrans en constituent trois particulièrement puissantes. Elles s'entretiennent d'ailleurs mutuellement. Plus notre travail est pénible et peu épanouissant, plus nous nous sentons impuissants et découragés par la politique et plus nous avons tendance à nous réfugier dans le giron rassurant et coloré des smartphones, téléviseurs et autres tablettes pour nous "divertir".

Pour autant, aucune de ces trois architectures n'est mauvaise en soi.

L'argent est un outil, né d'une fiction, d'une convention, qui stipule que des pièces de métal, des billets de papier ou des lignes d'écriture informatiques représentent des richesses tangibles.

Internet est une incroyable innovation permettant de relier l'humanité comme jamais précédemment. Le web et les outils numériques pourraient d'ailleurs aider à réinventer nos sociétés à condition que nous trouvions un double équilibre : le moyen de rendre cette technologie écologiquement soutenable et que nous l'utilisions à la bonne distance, dans une saine complémentarité en ligne/hors ligne.

Les lois sont supposées (dans le cas où elles naissent d'un débat démocratique) constituer les règles nous permettant de vivre ensemble, libres, en sécurité et dans une égalité relative.

Mais à partir du moment où ces architectures sont sous le contrôle d'une minorité de personnes et de structures, guidées par une fiction fondée sur la croissance économique infinie et la maximisation des profits, notre capacité à vivre libres, et celle des écosystèmes à résister à notre boulimie matérialiste, sont hautement menacées.

Nous assistons actuellement au déroulement de cette pièce, impuissants. Parfois nous sommes tirés de notre léthargie par une rencontre, un documentaire, un ouvrage, une conférence. Une vague d'indignation ou d'enthousiasme nous secoue pendant quelques heures, quelques jours parfois. Avant que le rythme du quotidien, la pression des crédits, un certain découragement nous ramènent dans le rang. Cette force d'inertie est la conséquence directe du fait que nous vivons au cœur d'une puissante fiction qu'il est impossible de contrecarrer avec nos seules forces. Ce dont nous avons instamment besoin est de changer de récit et de nous organiser. Et, ainsi, d'aiguiller la fourmilière humaine dans une autre direction. Chaque heure perdue ou volée à nous débattre dans les méandres de nos écrans, chaque journée passée à augmenter la productivité d'une entreprise dont l'activité n'a rien à voir avec le genre de monde que nous voulons construire, chaque achat que nous faisons, chaque repas que nous préparons, chacun de nos déplacements, chaque moment passé avec d'autres, chacun de nos choix sont autant d'opportunités que nous pouvons saisir. Du temps que nous pouvons regagner sur notre vie et utiliser pour construire une autre réalité. La somme de ces choix établit notre propre récit, celui que nous proposons chaque jour aux personnes que nous croisons, que nous connaissons, qui partagent nos journées de travail, nos repas, nos soirées, notre maison, notre lit... L'une des choses qui ont le plus d'influence sur nos orientations personnelles ou professionnelles est le regard de notre entourage. Plus une pratique est communément admise, valorisée par notre milieu social, notre contexte socioprofessionnel, la société en général, plus nous avons tendance à l'adopter[1]. Changer notre récit personnel est donc un acte de résistance particulièrement puissant. Il ouvre un espace dans lequel d'autres peuvent s'engouffrer et accorder leur récit à celui que nous avons créé. Il est plus facile à quelqu'un de dire qu'il ne mange pas de viande si deux personnes le disent aussi autour de la table d'un dîner. Plus confortable pour un enfant d'assumer

---

I. Une illustration extrême de ce principe moutonnier est l'extraordinaire scène du film *The Square*, palme d'or au Festival de Cannes 2017, où les convives très chics d'un dîner à Stockholm, où est donnée une performance d'art contemporain, sont paralysés devant l'artiste qui, jouant un primate, agresse une invitée, la porte, l'allonge, comme s'il allait la violer. La femme hurle, supplie qu'on la secoure mais personne ne bouge, ne sachant pas s'il "faut" bouger ou non, se demandant comment les autres réagiront s'ils s'interposent. Jusqu'à ce qu'un homme se lève et s'attaque à l'artiste/primate. Cinq, dix hommes le suivent alors, dans une lutte grotesque, se précipitent, se poussant du coude, alors qu'ils n'ont pas levé le petit doigt pendant de longues minutes. La scène se termine sur ce fatras, nous laissant douter si leur réaction/absence de réaction faisait, elle aussi, partie de la performance.

qu'il n'a pas de smartphone si d'autres n'en ont pas non plus et donnent du sens à ce choix. Plus facile à un nouveau récit collectif d'émerger si une multitude de récits personnels convergent pour le nourrir et l'échafauder.

Mais résumons-nous.

Jusqu'à maintenant nous avons mis bout à bout les éléments suivants :

– Des données scientifiques suffisamment solides nous permettent d'entrevoir que nous courons à la catastrophe.

– Il nous reste à peine quelques années pour agir.

– Nous ne parviendrons à véritablement changer les choses que si nous sommes des millions à agir et que nous engageons une coopération entre citoyens et élus pour surpasser l'influence des "puissances financières".

– Le moteur le plus puissant permettant la mobilisation et la coopération de millions d'êtres humains se trouve dans les fictions.

– Pour élaborer de nouvelles fictions, nous devons identifier le récit dans lequel nous baignons et les architectures qui conditionnent nos comportements, afin de nous en affranchir.

Dès lors, il semble qu'un début de stratégie se dessine. En tous les cas pour tous ceux qui croient qu'il est encore temps d'agir pour minimiser les chocs à venir et tenter de faire muter nos sociétés[1].

Voyons comment la mettre en œuvre.

---

1. Pour les tenants de l'effondrement, nous pourrions reformuler ces constats de cette façon : des données scientifiques suffisamment solides nous permettent d'entrevoir que nous courons à la catastrophe ; il est déjà trop tard pour l'éviter, nous devons donc préparer l'après-effondrement ; le moyen le plus puissant de calmer l'angoisse et de donner de l'énergie à ceux qui pourraient construire la résilience dès aujourd'hui ou à ceux qui survivront aux chocs demain est certainement des fictions fondées sur la coopération, imaginant un monde post-catastrophe qui ne soit pas uniquement dystopique mais où les humains apprendraient de leurs erreurs et imagineraient de nouvelles façons de vivre.

5

CONSTRUIRE DE NOUVELLES FICTIONS

Tout naît de nos récits.

Nous avons donc, avant toute chose, une bataille culturelle à mener (même si je n'aime pas utiliser des termes guerriers pour le dire). Il est fondamental de proposer une vision écologique désirable de l'avenir, de constituer des références culturelles fortes, de projeter un imaginaire puissant, de structurer un projet tangible, à la fois politique, économique, mais également urbanistique, architectural, agricole, énergétique...

Nous avons besoin de rêver, d'imaginer quelles maisons nous pourrions habiter, dans quelles villes nous pourrions évoluer, quels moyens nous utiliserions pour nous déplacer, comment nous produirions notre nourriture, de quelle façon nous pourrions vivre ensemble, décider ensemble, partager notre planète avec tous les êtres vivants. Petit à petit, ces récits d'un genre nouveau pourraient mâtiner nos représentations, contaminer positivement les esprits, et, s'ils sont largement partagés, se traduire structurellement dans des entreprises, des lois, des paysages...

Ces récits peuvent évidemment être portés par des artistes. C'est ce que nous avons, parmi d'autres, tenté d'amorcer avec *Demain*, mais qui mérite d'être poursuivi, amplifié à travers des romans, des films de fiction, des documentaires, des bandes dessinées, des essais, des peintures, des dessins, des œuvres graphiques de toutes natures... Mais les récits ne se bornent pas aux artistes. Chaque entrepreneur qui invente une nouvelle façon de conduire son activité, chaque ingénieur qui élabore de nouveaux fonctionnements, chaque économiste imaginant de nouveaux modèles, chaque élu qui réinvente l'administration de son territoire, chaque collectif qui se forme pour accomplir quelque chose qui sort de l'ordinaire, chaque journaliste qui en rend compte, chaque personne qui prend des orientations nouvelles dans son quotidien (devenir végétarien, cesser de prendre sa voiture, vivre dans une maison à énergie positive, changer de métier, entamer une démarche zéro déchet...) raconte à sa manière une histoire qui peut inspirer son entourage, si tant est qu'elle ne cherche ni à convaincre, ni à évangéliser. Choisir est épanouissant. Inventer est fichtrement excitant. Sortir du conformisme renforce l'estime de soi. Être bien dans ses baskets est contagieux. Résister en ce début de XXIe siècle commence donc, selon moi, par refuser la colonisation des esprits, la standardisation de l'imaginaire. "Créer, c'est résister. Résister, c'est créer", écrivait le regretté Stéphane Hessel en 2010. Et il s'y connaissait en résistance...

Il nous faut un plan

Cela étant dit, on peut se demander quels pourraient être les ingrédients de ces nouveaux récits, capables de nous sortir de l'ornière dans laquelle nous avons basculé. L'Histoire fourmille de théories, de fictions, d'idéologies bien-pensantes – ou prétendant l'être – dont l'impact se révéla désastreux. Les religions détiennent certainement la palme sur la liste des idéaux conduisant au massacre en masse, talonnées par le nazisme, le communisme version stalinienne et, dans une mesure non négligeable, le néolibéralisme. Il serait donc malaisé de produire une pseudo-théologie politico-écologique, et je m'en garderai bien. Disons simplement qu'à la lumière des constats énumérés au début de cet ouvrage, de ce qu'une majorité de scientifiques nous décrivent de l'évolution des écosystèmes, de ce que les ONG rapportent de l'explosion des inégalités, de ce que nombre d'économistes expliquent sur l'insoutenabilité de notre modèle de croissance, nous pouvons essayer de définir quelques priorités : respecter l'équilibre naturel de notre planète, ses écosystèmes, favoriser l'épanouissement de chaque être humain en veillant à la satisfaction de ses besoins les plus élémentaires (boire, manger, être abrité, soigné...) comme les plus essentiels (donner du sens à son existence, vivre libre, participer à l'orientation de son destin, être reconnu, accepté, intégré...), tout en respectant une certaine équité... J'ai conscience d'énoncer des généralités, somme toute assez banales, mais qui ne sont pour le moment pas acquises à travers le monde, loin de là. À ce titre, nous disposons de textes faisant l'objet d'un vaste consensus, comme la Déclaration universelle des droits de l'homme et du citoyen, de propositions comme la Déclaration universelle des droits de la Terre-Mère, formulée par la Conférence mondiale des peuples contre le changement climatique, mais rarement de modèles d'organisation permettant leur mise en application. Il semblait que la démocratie puisse être le contexte de cette mise en œuvre mais cet espoir est battu en brèche : les inégalités se creusent et la planète est mise à sac. Notre modèle démocratique actuel, s'il est une avancée comparé à d'autres temps ou d'autres régions du monde, ne suffit plus. Comme le reste de notre modèle de société, il mérite d'être réinventé pour construire de véritables modalités d'information, de concertation et de prises de décision collectives.

À la lumière de ces impératifs, j'organiserais les ingrédients de nos récits à partir de trois grands objectifs.

1. Stopper la destruction et le réchauffement

Nos récits doivent tout d'abord inclure tout ce qui peut nous permettre de ralentir, limiter, voire arrêter la destruction des écosystèmes, des modèles de protection sociale, du vivre-ensemble et le dérèglement du climat. Sus donc aux énergies fossiles, au gaspillage de toute sorte (énergétique, alimentaire, d'objets), à la surconsommation, à l'orgie de produits d'origine animale, à tout ce qui demande de bétonner, de creuser des mines, d'abattre des forêts, de propulser du gaz dans l'atmosphère, de faire travailler des enfants ou même des adultes dans des conditions misérables, sus à l'extrême concentration des richesses et du pouvoir qui craquelle nos démocraties et à l'ultralibéralisme qui est bien souvent l'architecture qui conduit à toutes ces catastrophes.

2. Construire la résilience

Malheureusement, il n'est pas exclu que la conjonction des problèmes que nous rencontrons se mue en effondrement, comme l'envisagent les collapsologues et un certain nombre de scientifiques. Et même si cela ne se produisait pas, le monde qui nous attend promet d'extrêmes tensions et un contexte nettement plus hostile. Il est donc indispensable de construire la résilience de nos territoires (et pourquoi pas de nos lieux de vie). Par "résilience", j'entends leur capacité à encaisser les chocs sans s'effondrer. À s'adapter, à survivre, en gardant un minimum d'intégrité. Ce qui veut dire : produire un maximum de nourriture et d'énergie localement, mettre en place une gestion de l'eau potable qui ne soit pas uniquement dépendante de gros réseaux centralisés, développer la réutilisation de matériaux existants, la réparation, le recyclage, mais également la fabrication artisanale, qu'elle soit traditionnelle ou réinventée. Et retrouver les savoir-faire que nécessitent ces activités[1]. Organiser des réseaux d'économie locale solidement maillés, où la plupart des biens et des services essentiels sont fournis par des entreprises locales et indépendantes. Idéalement mettre en place, en parallèle, des circuits monétaires complémentaires avec des monnaies locales, des monnaies affectées aux PME, pourquoi pas des monnaies soutenant les activités non directement commerciales mais augmentant, elles aussi, la résilience[1], des monnaies libres... Bâtir des communautés locales soudées, organisées autour de principes démocratiques vivants. Par "vivants" j'entends le contraire de ce que nous vivons

---

I. Bien souvent, nous ne savons plus réparer, fabriquer sans passer par des processus centralisés (service après-vente de grandes entreprises, usines pour manufacturer des produits en gros), ce qui rend à nouveau dépendant des grandes structures et fragile.

actuellement : voter tous les cinq ou six ans et (hormis les associations) ne pas s'impliquer dans les décisions politiques locales dans l'intervalle entre deux élections.

Pourquoi des entreprises locales et indépendantes plutôt que des multinationales ? Pourquoi des circuits de monnaies qui ne reposent pas uniquement sur des banques centrales ou des banques multinationales privées ? Pourquoi des circuits courts et décentralisés ? Parce que la résilience d'un système en dépend.

Pour les scientifiques qui étudient les écosystèmes naturels[2] et, par extension, les réseaux de flux complexes (comme le sont nos systèmes économiques, sociaux et politiques), leur résilience repose essentiellement sur deux facteurs : l'interconnectivité et la diversité. L'économiste Bernard Lietaer en donne deux illustrations particulièrement éclairantes[3].

L'interconnectivité est la capacité d'un milieu, d'un animal, à se nourrir d'interactions très variées et très nombreuses. Par exemple, l'écureuil de Central Park à New York ou le rat d'égout à Paris sont en mesure de trouver un abri et de la nourriture presque n'importe où. *A contrario*, le panda géant, dont l'alimentation se limite à un type de bambous, est menacé de disparition dès lors que son habitat naturel originel est détruit. Il ne peut s'adapter.

La diversité est une notion plus familière. Mais nous n'avons pas forcément l'habitude de l'envisager sous cet angle. Imaginez une forêt de pins, une monoculture, destinée à produire en masse et le plus rapidement possible du bois. Le jour où un incendie se déclenche, où une maladie attaque les arbres, la propagation est fulgurante et c'est l'ensemble de la forêt qui risque de partir en fumée ou d'être contaminé. *A contrario*, si votre forêt regorge d'essences différentes : des chênes, des hêtres, des charmes, des bouleaux, des noisetiers, des ormes..., certaines résisteront mieux au feu, d'autres à certains types d'infections, et la forêt en tant qu'ensemble sera plus à même de survivre aux chocs. Il en va de même pour tous les systèmes complexes : vous n'avez qu'un seul type de monnaie, circulant dans le monde entier, reliée à un vaste marché mondial ? Le jour où un effondrement financier se produit comme en 2009, la contamination est rapide et brutale. C'est toute l'économie mondiale qui trinque. Les emplois de votre territoire dépendent d'une seule grande entreprise implantée à grand renfort d'aides gouvernementales, comme ce fut le cas de Goodyear, ArcelorMittal et tant d'autres ? Le jour où elle décide de délocaliser sa production en Europe de l'Est, en Asie du Sud-Est, parce que la main-d'œuvre coûte trop cher, c'est une vague de chômage qui s'abat sur la région. Vous cultivez d'immenses surfaces en monoculture de blé ou de colza ? Votre terre s'appauvrit, il devient nécessaire de la doper aux engrais de synthèse, son immunité baisse, elle est plus facilement attaquée par des ravageurs, qui vous demandent d'utiliser toujours plus de pesticides... Vous ne mangez qu'un seul type d'aliments ? Votre flore intestinale se déséquilibre et c'est toute votre immunité qui part à vau-l'eau. Et ainsi de suite. Pour Robert Ulanowicz et son équipe, la survie d'un système de flux complexes dépend du juste équilibre entre son efficience (sa capacité à traiter du volume, rapidement) et sa résilience.

Actuellement, nos systèmes sont concentrés sur l'efficacité, délaissant largement la résilience. Évaluer une initiative à cette aune (favorise-t-elle la diversité, l'interconnectivité ?) est une boussole précieuse. C'est la raison pour laquelle des entreprises comme McDonald's ou Coca-Cola ne pourront jamais devenir durables, malgré les efforts certains qu'elles déploient pour le laisser supposer. Un modèle fondé sur la standardisation de l'alimentation (manger partout le même Big Mac en écrasant les concurrents locaux), qui repose sur d'immenses monocultures de pommes de terre, un élevage intensif et concentrationnaire de bovins (cause majeure du réchauffement climatique) et une politique salariale ultra-flexible, des salaires payés avec un lance-pierre, engraissant majoritairement une poignée d'actionnaires, est l'exact opposé de ce que nous venons de décrire, même si les magasins se mettent à consommer moins d'énergie, que la viande est française et que la monoculture de patates utilise moins d'eau...

3. Régénérer (la planète et nos modèles économiques et sociaux)

Les dégâts sont déjà considérables. Il ne s'agit donc pas uniquement de freiner et de préparer la résilience mais de régénérer, de réparer, de stimuler la guérison. D'inventer de nouvelles façons de produire, de nous déplacer, d'habiter, d'échanger : replanter des forêts (dans le respect des espèces), réensauvager des espaces, capter le CO_2 présent dans l'atmosphère. C'est ce que proposent des modèles comme l'économie symbiotique, l'économie bleue[1]... Nous avons désormais besoin de consacrer une grande part de notre activité collective à ces activités.

Par exemple, en pratiquant la permaculture appliquée au maraîchage, qui utilise de nombreuses techniques comme la fertilisation naturelle des sols, les buttes, l'agroforesterie, l'association de cultures, la densification, la création de microclimats – tout cela sans pétrole –, nous redonnerions aux sols leur fertilité, leur permettrions de stocker du CO_2, de redéployer de la biodiversité tout en maintenant le même niveau de production sur des surfaces plus petites. Ainsi, des espaces se libéreraient pour laisser à nouveau la vie sauvage s'épanouir.

---

1. L'économie bleue est un modèle économique conçu par l'entrepreneur belge Gunter Pauli, qui suffit aux besoins de base en valorisant ce qui est disponible localement, s'inspire du vivant et se fonde sur les principes de l'économie circulaire, considérant les déchets comme dotés de valeur. La couleur de ce modèle renvoie à celle du ciel et des océans, et s'oppose à l'économie verte d'un développement dit "durable" *(Wikipédia)*.

En replantant des forêts, nous absorberions une partie du carbone présent dans l'atmosphère[I], tout en reconstituant la vie des sols, en empêchant l'érosion, en redonnant à des espèces l'espace pour être abritées, se nourrir, en faisant baisser la température dans des zones entières, etc.

En laissant la vie marine se reconstituer (en limitant drastiquement la pêche industrielle, en interdisant la pêche en eaux profondes partout, en cessant de déverser dans l'océan des montagnes de déchets et particulièrement du plastique...), nous permettrions au premier puits de carbone de la planète de jouer son rôle[II] de captage du CO_2 et d'émission de l'oxygène (environ 40 % de l'oxygène que nous respirons). En nous engageant dans des modèles de développement économique fondés sur des propositions comme l'économie symbiotique, nous pourrions à la fois utiliser infiniment moins de matière pour fabriquer nos objets, mais également bâtir des villes où agriculture, zones de phytoépuration, arbres climatiseraient, réintroduiraient de la biodiversité, absorberaient les précipitations, amélioreraient nos cadres de vie, fourniraient des matières premières renouvelables[4]...

Ce sont des alternatives répondant à ces trois objectifs que nous sommes beaucoup à promouvoir, que nous tâchons de susciter et d'articuler en récit. Un récit qui prend une diversité de formes selon les sensibilités de leurs auteurs. (Je me contenterai ici d'évoquer des récits dits "utopistes", qui vont dans le sens de mon analyse. Il en existe une infinité d'autres, certains purement dystopiques, où l'être humain se débat dans un monde post-apocalyptique, asservi par

I. Pour l'Arbor Tree Alliance, un arbre nouvellement planté stocke en moyenne de 20 à 30 kilos par an. Un hectare de forêt absorbe ainsi chaque année l'équivalent des émissions de 100 000 kilomètres en voiture : www.arborenvironmentalalliance.com/carbon-tree-facts.asp.
II. On estime que l'océan concentre 50 fois plus de carbone que l'atmosphère. Pour certains scientifiques, la haute mer et sa colonne d'eau seraient le plus grand puits de carbone de la planète : ocean-climate.org/?p=3844.

l'intelligence artificielle et les algorithmes informatiques, d'autres prolongeant les aspirations au progrès tel que les sociétés du XXᵉ siècle l'ont défini : technologies et croissance "vertes", fermes verticales hors-sol, panneaux solaires partout, etc.)

La sobriété heureuse de Pierre Rabhi nous enjoint de faire drastiquement décroître nos consommations, notre utilisation de matière, notre boulimie matérialiste, et de faire croître nos qualités humaines : l'empathie, la connaissance, l'intelligence, la capacité à coopérer et, ultimement, la joie. De nous libérer du superflu pour profiter de l'essentiel. Récit qui rejoint en plusieurs points celui des minimalistes, des familles zéro déchet ou des décroissants. Nous vivrions avec l'essentiel, utilisant des outils majoritairement low-tech, très proches de la nature, développant notre intériorité. Pour Pierre Rabhi, les êtres humains s'organiseraient dans des "Oasis" où ils produiraient ensemble l'essentiel de leur nourriture, de leur énergie (dont l'utilisation serait infiniment plus limitée que maintenant), où ils installeraient les ferments de leur autonomie, pour ne plus dépendre des multinationales. Le superflu étant limité, une activité économique locale pourrait s'y développer pour répondre aux besoins, avec les moyens "les plus simples et les plus sains" possibles. L'architecture utiliserait des matériaux locaux, recyclables et renouvelables[1], le chauffage se ferait au bois, l'artisanat s'y redéploierait, réinternalisant dans la communauté les savoir-faire indispensables. La convivialité, la relation harmonieuse entre les générations, entre les humains et les animaux seraient au cœur du projet.

---

[1]. Sa fille et son gendre ont coordonné la construction d'un prototype, le Hameau des Buis, écovillage d'une vingtaine de maisons, avec une architecture dite "de cueillette", qui utilise le bois des forêts de la région pour la charpente et l'ossature, la terre issue du terrassement mélangée à la paille des paysans du coin pour les briques, des toits végétalisés, des pierres du terrain pour certains murs ou murets qui délimitent les habitations...

L'économie symbiotique d'Isabelle Delannoy imagine une société où nous parviendrions à potentialiser la symbiose[I] entre l'intelligence humaine (capable d'analyser scientifiquement, d'organiser, de conceptualiser), les outils (manuels, thermiques, électriques, numériques...) et les écosystèmes naturels (capables d'accomplir par eux-mêmes nombre de choses extraordinaires). Selon elle, trouver le bon équilibre entre les trois permettrait non seulement de stopper la destruction mais de régénérer la planète, l'économie, la société... Un bon exemple est l'approche de la ferme permaculturelle du Bec Hellouin, qui a fait l'objet d'une étude de l'INRA et d'AgroParisTech[II]. La symbiose entre des outils manuels très ingénieux (semoir de précision capable de semer 26 rangs de légumes sur une planche de 80 centimètres, outil pour ameublir la surface du sol rapidement et sans fatigue...), une approche scientifique et empirique très élaborée (la connaissance de l'interaction entre les espèces de plantes, du fonctionnement du sol, des microclimats, etc.) et les forces vives de la nature (vie microbiologique dans les sols, pollinisation, services rendus par les arbres, etc.) conduisent une petite parcelle à produire davantage que ce que la nature aurait fait seule, davantage que ce que les humains feraient sans outils et davantage que ce que les humains et les outils font déjà sans s'appuyer sur les ressources de la nature (l'agriculture industrielle avec des substrats chimiques). Tout cela en rendant le sol plus fertile qu'au naturel, en y stockant du carbone – ainsi que dans les arbres et les plantes –, en créant un espace où la biodiversité est encore plus importante qu'à son état original (il s'agissait d'une prairie nue) et en permettant aux

I. La symbiose est l'un des processus les plus puissants de la nature, il permet l'association étroite et pérenne de deux organismes différents, qui trouvent dans leurs différences leurs complémentarités.
II. Cette étude démontrait qu'il est possible de créer un emploi de maraîcher biologique décemment rémunéré sur 1 000 mètres carrés alors qu'en règle générale on parvient à des revenus et à des quantités de production comparables sur une surface 10 fois plus grande : www.inra.fr/Chercheurs-etudiants/Agroecologie/Tous-les-magazines/Ferme-du-Bec-Hellouin-la-beaute-rend-productif.

paysans de vivre décemment de leur métier. Pour Isabelle Delannoy, nos sociétés pourraient appliquer les principes symbiotiques à de nombreux autres champs de la société : l'industrie, l'économie, la démocratie, l'éducation, etc. Les êtres humains vivraient dans des villes largement végétalisées, où de vastes points d'eau plantés de bambous épureraient les eaux sales et produiraient de la biomasse pour une mini-industrie. Des fab labs nous permettraient de réparer nos objets plutôt que de les remplacer et d'en produire un certain nombre sans passer par une industrialisation massive. Nous posséderions beaucoup moins d'objets. Grâce à un usage mesuré et intelligent d'internet, nous partagerions les voitures, les perceuses, les tondeuses, les friteuses et autres appareils à usage intermittent. Nous louerions nos téléphones, nos ordinateurs, nos télévisions pour obliger les constructeurs à les maintenir en état le plus longtemps possible. L'essentiel de nos biens serait fabriqué à partir des déchets du XXe siècle et de matériaux renouvelables. Ils seraient conçus avec les principes de l'économie circulaire pour que la matière utilisée reste indéfiniment dans le système de production et seraient composés de modules interchangeables et interopérables qui faciliteraient leur réparation et l'amélioration de leurs performances, sans avoir à fabriquer à nouveau des appareils entiers. Grâce à la combinaison de ces différents procédés (réduire, réutiliser, recycler, réparer, louer, partager...), nous pourrions, selon les calculs d'Isabelle Delannoy, réduire drastiquement le nombre d'objets en circulation (une étude conduite par l'université du Michigan montre par exemple que nous pourrions réduire de 80 % le nombre de véhicules dans les villes pour la même mobilité) et par conséquent notre utilisation de matière (elle avance une économie de 90 %) sur le globe. Si cette matière résiduelle parvenait à être puisée dans les déchets, dans les objets recyclables et dans le végétal, nous entrerions dans un cercle réellement vertueux qui participerait en outre à redessiner les paysages, à créer de nombreux emplois... De multiples monnaies, affectées à des échelles de territoire (locales, nationales, internationales) ou à des communautés d'intérêt (monnaies pour les PME, monnaies dédiées aux activités écologiques, banques de temps...), permettraient de décentraliser le pouvoir financier et de protéger les territoires des crises financières mondiales. Nous diminuerions drastiquement notre consommation d'énergie (le scénario NégaWatt, beaucoup plus conservateur, avance que nous pourrions réduire jusqu'à 60 % de notre consommation actuelle sans perdre en qualité de vie[5]) et la produirions avec des sources renouvelables, en veillant à ce que les panneaux solaires, les éoliennes soient fabriqués avec la même démarche que celle évoquée plus haut pour l'industrie. Le récit d'Isabelle Delannoy reprend et articule de nombreuses propositions portées par les tenants de l'économie du partage, de la fonctionnalité, circulaire, bleue, de l'écolonomie...

Ces récits sont aujourd'hui innombrables et à géométrie variable. Ils peuvent concerner tous les aspects de la société. Imaginez par exemple un monde où, dès leurs premières années, la coopération soit enseignée aux enfants, qu'en plus des mathématiques, de la grammaire et de l'histoire, on leur apprenne à communiquer au mieux avec les autres, à exprimer leurs besoins, à résoudre les conflits. Qu'ils apprennent non seulement l'hygiène physique à travers le sport, la douche et le brossage de dents, mais également l'hygiène psychique avec la pratique de la pleine conscience, de la communication non violente, de thérapies comportementales. Que, dans ce monde, la médecine s'appuie à la fois sur la connaissance du corps et de ses fonctionnements quotidiens (l'impact de l'alimentation, l'équilibre du microbiote dans les intestins, les liens étroits entre psychique et physique...), sur tout ce que les médecines ancestrales ont pu découvrir, notamment dans l'usage des plantes, et sur tout ce que la médecine moderne nous offre.

Imaginez que les femmes et les hommes disposent réellement des mêmes droits à travers la planète (fiction qui s'est particulièrement ravivée en Occident après l'épisode Harvey Weinstein et le mouvement #MeToo, et qui paraît toujours inconcevable dans nombre de pays où les femmes sont encore excisées, voilées ou mariées de force, violées, ou réduites à des citoyennes de seconde zone), que les animaux soient pleinement considérés comme des êtres sensibles et non comme des "meubles" ou des protéines sur pattes comme cela est le cas aujourd'hui (plus de 60 milliards d'animaux sont élevés dans des conditions abominables chaque année pour être ensuite abattus et mangés).

Imaginez que l'essentiel des activités humaines ne soit pas dédié à gagner de l'argent, augmenter le profit, doper la croissance, inverser la courbe du chômage, relancer la consommation des ménages, gagner des parts de marché, vendre, acheter, contenir la menace terroriste, préserver nos acquis, rembourser nos crédits, se plonger dans des monceaux de divertissements destinés à nous faire oublier le peu de sens que nous trouvons à nos existences et notre peur panique de mourir... mais à comprendre ce que nous fabriquons sur cette planète, à exprimer nos talents, à faire grandir nos capacités physiques et mentales, à coopérer pour résoudre les immenses problèmes que notre espèce a créés, à devenir meilleurs, individuellement et collectivement. Que nous passions la majeure partie de notre temps à faire ce que nous aimons, à être utiles aux autres, à marcher dans la nature, à faire l'amour, à vivre des relations passionnantes, à créer... Impossible, n'est-ce pas ? Utopiste. Bisounours. Simpliste. Et pourtant. Tout ce que je viens de décrire existe déjà en germe dans des écoles en France, dans des écoquartiers aux Pays-Bas, dans des écovillages en Écosse, dans des fab labs aux États-Unis, dans des zones industrielles au Danemark, dans le quotidien de millions d'entrepreneurs, d'artistes, d'enseignants, d'architectes, d'agriculteurs... Ces histoires se racontent à travers leurs réalisations tangibles. Aujourd'hui, nous avons grandement besoin que ce mouvement s'accélère. Que ces petits récits se démultiplient et en alimentent de plus grands, plus inspirants, capables d'entraîner un irrésistible mouvement. Comme je l'évoquais plus tôt, notre temps est compté. Pour faire face aux défis qui nous attendent, nous avons besoin d'aller vite, d'être efficaces, de déplacer des montagnes... Or, on rencontre généralement cette qualité d'engagement chez les êtres humains dans deux cas : lorsque la contrainte est violente et qu'ils sont au pied du mur (guerre, catastrophe naturelle et autres réjouissances qui pourraient tout à fait se produire ou se reproduire) ou lorsqu'ils sont portés par l'enthousiasme et la passion. Et, dans de nombreux cas, ces deux configurations se confondent.

Réfléchissez à toutes les personnes qui ont fait une véritable différence dans votre vie ou dans l'histoire de l'humanité. Celles qui vous inspirent, que vous admirez, qu'elles soient artistes, ingénieurs, médecins, chercheurs... Celles qui ont déclenché de véritables transformations culturelles, sociales, politiques. La majorité d'entre elles ont trouvé un espace pour exprimer leurs "dons" au service d'un projet qui a du sens, pour elles. Aucune d'entre elles ne passait sa journée à se dire : "Il faut bien travailler pour gagner sa vie, donc allons-y mollo, et ce soir je vais me faire un bon plateau télé en jouant à *Candy Crush*." Elles étaient (ou sont toujours) animées d'un feu dévorant. Soit pour répondre à un danger – de Gaulle –, à une oppression – Gandhi –, à de terribles injustices – Martin Luther King, mère Teresa –, soit pour exprimer leurs visions – les Beatles, Virginia Woolf, Thoreau –, mais toujours en utilisant leurs talents.

Imaginez, si l'ensemble de l'énergie productive et créative des personnes qui travaillent chaque jour sur la planète n'était pas concentrée à faire tourner la machine économique, mais à pratiquer des activités qui leur donnent une irrépressible envie de sauter du lit chaque matin, et que cette énergie soit mise au service de projets à forte utilité écologique et sociale... Il y a fort à parier que le monde changerait rapidement.

De nouvelles architectures

Mais pour cela nous avons besoin de briser les servages précédem-ment évoqués : celui qui nous enchaîne huit heures par jour à des écrans et celui qui nous contraint à empocher un salaire pour sur-vivre et rembourser nos crédits. Comme je l'ai déjà évoqué, nos sociétés reposent à la fois sur un récit qui leur donne une direction générale et sur des architectures qui structurent et conditionnent nos façons de vivre. Radicalement modifier la trajectoire de nos sociétés demande de construire de nouveaux récits, mais également de modifier ces fameuses architectures. Aucune démarche "révolu-tionnaire" ne saurait aboutir sans cela.

Sans être exhaustif, étudions comment nos trois architectures principales pourraient évoluer.

Commençons par la loi. Si, comme l'étude de Princeton le sug-gère, nos démocraties se muent en oligarchies et en ploutocraties[1] – si tant est qu'elles ne l'aient pas toujours été[6] –, nous n'avons pas la capacité de réguler le pouvoir démesuré des grandes entre-prises du web, des pétroliers ou des banques. Nous vivons toujours dans une fiction, héritée de la précédente (la monarchie) où une poignée de personnes peuvent exercer leur domination sur une infinité d'autres. Elle a simplement changé de visage. Un nouveau récit, où le pouvoir serait véritablement partagé, nécessiterait de redéfinir les règles qui organisent notre vie en commun. C'est ce qu'ont entrepris les Islandais en 2009, alors que la collusion entre les dirigeants politiques et les grandes banques avait précipité le pays au bord de la faillite. Ils ont occupé les rues, les réseaux sociaux et l'espace médiatique jusqu'à la démission du gouverne-ment et du gouverneur de la banque centrale, puis ont engagé un

---

I. Système dans lequel le pouvoir politique est dévolu aux détenteurs de la richesse (Larousse).

processus pour réécrire, eux-mêmes, leur Constitution. Ce document, révolutionnaire, se concentrait sur la distribution du pouvoir, la transparence et la responsabilité. Il imposait un contrôle des banques, permettait à 10 % de la population de provoquer un référendum d'initiative populaire et à des citoyens ordinaires de proposer des lois... En mai 2012, un référendum fut organisé auprès de la population sur six grands points de cette nouvelle Constitution pour vérifier son assentiment. La victoire du oui fut écrasante (67 % pour utiliser ce texte comme nouvelle Constitution, 83 % pour que les ressources naturelles soient propriété de la nation et ne puissent être privatisées, 74 % pour adopter le référendum d'initiative populaire...) mais fragile (seulement 49 % de participation au scrutin). Malheureusement, ce scrutin n'était que "consultatif".

Cette extraordinaire aventure a donc été stoppée dans son élan par le Parlement fraîchement renouvelé, quelques mois après le référendum, marqué par le retour du parti conservateur[7]. Comme dans de nombreux pays, le pouvoir d'écrire, de modifier ou de ratifier la Constitution, texte encadrant le pouvoir des élus, est l'apanage... des élus. Reprendre le pouvoir sur le cadre législatif, qu'il s'agisse de la Constitution ou d'autres lois, est donc fondamental. "Comment y parvenir ?" est une autre question. Certainement par une transformation de nos modèles éducatifs, permettant aux élèves de devenir des citoyens éclairés, capables de prendre leurs responsabilités et, surtout, d'apprendre à ne pas se soumettre aveuglément à une autorité. Ensuite, en organisant la résistance, comme je l'évoquerai dans le chapitre "C'est quand la révolution ?".

"À quoi faudrait-il parvenir ?" est une question plus simple.

Dans un certain nombre de pays d'Europe et du monde, de nombreux mécanismes institutionnels qui permettent aux citoyens de participer activement aux orientations politiques pourraient constituer un début de réponse. Ils mêlent bien souvent démocraties directe et représentative. En Suisse, l'initiative populaire permet aux citoyens de proposer des modifications constitutionnelles et des textes de loi ou de s'opposer à des lois soumises par des parlementaires. Aux États-Unis, les habitants de Nouvelle-Angleterre se réunissent en assemblées – *New England town meetings* – pour décider des lois et des budgets de leurs villes. Les citoyens de nombreux États peuvent révoquer des élus par la procédure dite "de *recall*" (utilisée pour destituer le gouverneur de Californie en 2003), édicter des lois et modifier leur Constitution. En Équateur est également inscrit dans la Constitution le référendum révocatoire à destination des élus qui ne remplissent pas leur mission. Dans l'Union européenne, l'ICE (initiative citoyenne européenne) permet à un million de citoyens venus de sept pays de soumettre une loi au Parlement. Tous ces mécanismes institutionnels contribueraient grandement à faire coopérer élus et citoyens, à créer de féconds rapports de force, susceptibles d'enclencher de véritables transformations sociétales[8].

De surcroît, reprendre le pouvoir sur l'évolution des législations permettrait de s'attaquer à plusieurs chantiers prioritaires concernant les deux autres architectures précédemment évoquées : la nécessité de travailler pour percevoir un revenu et l'orientation de nos comportements par les algorithmes et ergonomies du web.

D'abord, une régulation démocratique du "tuyau" que constitue internet. Il n'est pas satisfaisant qu'un espace dans lequel se croisent et interagissent deux milliards de personnes – Facebook – appartienne à une entreprise privée qui en aménage les codes, les lois, l'ergonomie pour répondre à ses intérêts particuliers de rentabilité et de maximisation du profit. Pas plus que d'avoir un gigantesque supermarché en ligne (Amazon) qui aspire une part grandissante de l'économie mondiale (44 % des ventes en ligne aux États-Unis). Ou qu'un moteur de recherche qui concentre les requêtes de 93 % des personnes connectées à internet (5,48 milliards de requêtes chaque jour) appartienne lui aussi à une entreprise collectant nos données, nos préférences, nos localisations, déterminant notre profil pour offrir à des annonceurs une exposition privilégiée, le moyen d'influencer nos achats mais aussi nos lectures, nos choix... Il existe dans ces trois exemples un conflit manifeste entre intérêt général et intérêt personnel, qui pourrait nous coûter cher, dans tous les sens du terme. Cette régulation devrait garantir à la fois l'indépendance des canaux de communication, le respect de la vie privée et une ergonomie laissant le libre choix aux utilisateurs de continuer ou non à parcourir des sites, à télécharger des applications, etc. Tristan Harris mène sur ce sujet de passionnantes recherches pour que les utilisateurs puissent plus facilement faire un usage modéré de leurs écrans[9]. Comme toujours, les compagnies ne vont pas adopter seules ces mesures qui vont contre leur intérêt financier. Elles ne pourront s'imposer que par un mélange de choix des utilisateurs et de contraintes réglementaires. Les deux allant généralement de pair.

On peut ensuite évoquer les architectures qui allégeraient notre dépendance au salaire et à l'argent. Parmi elles, la mise en œuvre d'un ambitieux revenu universel redistribuant les immenses gains de productivité de nos sociétés[1]. Voici, à nouveau, un exemple de fiction particulièrement intéressant. Pour beaucoup, l'idée que des personnes puissent percevoir un revenu sans travailler est choquante, dangereuse ou immorale. Notre psyché est tellement imprégnée de la corrélation entre le labeur et la rétribution qu'il est difficile de s'en détacher. Pourtant, les travaux et expérimentations montrant qu'une telle proposition pourrait fonctionner sont particulièrement

I. La productivité du travail a été multipliée par 3 depuis les années 1970, le PIB multiplié par 2, mais la majorité de la population n'a jamais vu la couleur de ces richesses. Elles ont majoritairement été concentrées dans quelques mains et, pour partie, cachées ou placées dans des paradis fiscaux, échappant ainsi à toute redistribution : piketty.blog.lemonde.fr/2017/01/05/de-la-productivite-en-france-en-allemagne-et-ailleurs/.

convaincants[1]. Régulièrement, de nouvelles expériences sont lancées pour consolider leurs résultats. C'est actuellement le cas en Finlande, en région Nouvelle-Aquitaine, à Utrecht aux Pays-Bas, en Californie ou en Ontario. Pour de nombreux défenseurs d'un revenu universel et inconditionnel (tout le monde le percevrait de la naissance à la mort, sans conditions d'attribution), ce découplage revenu-travail constitue l'un des plus puissants leviers qu'une société pourrait imaginer pour que ses membres puissent passer d'un travail subi à un travail choisi. L'hypothèse qui voudrait que les bénéficiaires d'un revenu universel restent chez eux à se tourner les pouces est battue en brèche par la réalité. En 2009, un article publié dans la revue médicale *The Lancet* relatait que "les plus récentes données sur les transferts d'argent, conditionnels ou inconditionnels, écartent largement l'argument selon lequel ces programmes empêchent les adultes de chercher du travail ou créent une culture de la dépendance qui perpétue la pauvreté intergénérationnelle[10]". Au contraire, les chercheurs avancent que, lorsque des personnes en difficulté reçoivent de l'argent, elles ont tendance à travailler davantage. C'est également ce que démontrent un nombre impressionnant d'expérimentations conduites avec les sans-abri anglais, tout comme avec les populations désargentées du Malawi, en Namibie, au Brésil, en Inde, en Afrique du Sud[11]... Il en va de même pour l'étude sur les gagnants du Loto conduite en 1987 par Roy Kaplan, montrant que les gagnants quittent rarement leur travail ou que, s'ils le font, c'est pour en trouver un autre, qui leur convient mieux. Ou pour s'occuper de leurs enfants[12].

---

1. Le programme Mincome au Canada dans les années 1970 (les jeunes étudiaient plus et plus longtemps, les hospitalisations, violences conjugales et pathologies psychiques baissaient), l'étude menée dans cinq villes américaines en 1964, l'expérimentation qui existe toujours en Alaska grâce à la manne pétrolière et fait de cet État l'un des moins inégalitaires du pays. Expériences décrites dans *Utopies réalistes* de Rutger Bregman, trad. Jelia Amrali, Seuil, 2017. D'autres sont relatées dans *Un revenu de base, une idée qui pourrait changer nos vies*, d'Olivier Le Naire et Clémentine Lebon, Actes Sud, "Domaine du possible", 2016.

Un revenu universel ambitieux[I] permettrait de garantir à chacun les conditions de sa survie (et donc de sortir des millions de personnes de la pauvreté) mais également de choisir une activité qui n'a pas besoin de rapporter gros. Or de nombreuses activités d'intérêt général souffrent du fait qu'elles sont peu rémunératrices : agriculteur, infirmier, enseignant, employé dans une ONG... Comme je l'évoquais précédemment, la contrainte de trouver un emploi dès la sortie de l'école, la structure du système scolaire qui ne favorise pas la connaissance de soi, la découverte de ses passions ou de ses talents, conduisent nombre d'élèves à s'engager dans des voies qui ne leur correspondent pas. Et rien n'est plus terrible qu'une personne qui n'est pas faite pour son métier : les enseignants qui barbent leurs élèves, les infirmières qui rudoient leurs patients, les employés de bureau qui surveillent la pendule, les responsables politiques qui profitent de leur position pour s'en mettre plein les poches...

Avec 1 000 euros par mois, un paysan conventionnel pourrait envisager de se convertir à l'agriculture biologique, malgré la lourdeur du remboursement de ses crédits. Un ouvrier dans une usine automobile pourrait décider d'ouvrir un Repair Café et améliorer ainsi nettement son quotidien tout en exerçant son talent à réparer (s'il en a un). Un cadre dans une grande multinationale pourrait décider de mettre ses compétences au service de sa propre entreprise à vocation sociale ou écologique[II]. Un employé de ménage pourrait reprendre des études, etc.

Il existe des réserves tout à fait recevables à cette idée de revenu de base universel. Comme la crainte qu'elle accroisse le consumérisme plutôt que de libérer la créativité. C'est sans doute un risque

I. Les chiffres de 1 000 euros par adulte et 400 euros par enfant et par mois sont avancés par les plus progressistes des chercheurs sur le revenu de base, comme le philosophe et sociologue Philippe Van Parijs.
II. Quoique cet exemple soit le plus compliqué, le cadre en question ayant un niveau de vie très élevé auquel il n'aura pas facilement envie de renoncer. Son addiction à l'argent est presque trop importante.

à prendre. Pour ma part, je pense que la plupart des êtres humains sont plus intéressés, à long terme, par l'idée d'être utiles, heureux, créatifs, de donner du sens à leur existence, que de s'acheter de nouveaux fours ou de nouvelles tablettes. Et bien souvent ils font l'un (acheter) pour compenser l'absence de l'autre (trouver du sens).

Il existe une autre architecture, moins souvent étudiée, qui nous enferme dans une dépendance inextricable à l'argent et à la croissance : le mécanisme de création monétaire, régi en Europe par l'article 123 du traité de Lisbonne[I]. Aujourd'hui, dans la zone euro, près de 85 % de l'argent en circulation sont créés par les banques privées lorsqu'elles octroient un crédit. Les 15 % restants sont les pièces et les billets émis par la Banque centrale européenne (BCE) et les banques centrales. En substance, lorsque vous allez emprunter 10 000 euros pour acheter une voiture, si la banque dispose de 10 000 euros dans ses coffres (et qu'elle s'est assurée que vous pourrez rembourser), elle a le droit de créer la somme qu'elle va vous prêter, dans son système informatique, et, d'un clic, de virer ces 10 000 euros, qui n'existaient pas quelques minutes plus tôt, sur votre compte en banque[II]. Vous allez payer votre voiture à votre concessionnaire, qui déposera l'argent dans sa banque qui disposera désormais de 10 000 euros supplémentaires dans ses coffres. Elle pourra donc créer 10 000 euros pour les prêter à un autre client qui souhaite, par exemple, acheter du matériel hi-fi de luxe. Ce nouveau client va payer sa chaîne, ses enceintes et son ampli

---

I. L'article 123 du traité de Lisbonne stipule : "Il est interdit à la Banque centrale européenne et aux banques centrales des États membres, ci-après dénommées « banques centrales nationales », d'accorder des découverts ou tout autre type de crédits aux institutions, organes ou organismes de l'Union, aux administrations centrales, aux autorités régionales ou locales, aux autres autorités publiques, aux autres organismes ou entreprises publics des États membres. L'acquisition directe, auprès d'eux, par la Banque centrale européenne ou les banques centrales nationales, des instruments de leur dette est également interdite." L'article 123 reprend l'article 104 du traité de Maastricht, également identique à l'article 181 du traité constitutionnel européen.
II. En réalité, la règle est qu'elle doit posséder 1 pour pouvoir créer 0,8. J'ai utilisé 1 pour 1 afin de simplifier l'explication.

à un vendeur qui va recevoir ces 10 000 euros et les placer dans sa banque. Permettant à son banquier de prêter et donc de créer 10 000 euros supplémentaires. Et ainsi de suite. En moyenne, ce que l'on appelle l'"effet multiplicateur du crédit" permet de créer jusqu'à six unités à partir d'une seule. Pour un euro qui existait effectivement en banque, six seront créés "virtuellement" par le crédit[13]. Quel est le problème ? me direz-vous. Il est triple.

D'abord, lorsque l'argent sera remboursé par l'emprunteur, la somme créée sera supprimée du système informatique. Pour maintenir suffisamment de liquidités en circulation et permettre à la croissance de ne pas s'effondrer, il faudra refaire des crédits, donc doper la consommation.

Deuxième problème : il faudra que les emprunteurs remboursent le crédit plus les intérêts. Or l'argent des intérêts n'a, lui, pas été créé au départ. Pour le dire autrement, une grande partie de l'argent en circulation dans le monde est créée par des crédits qui sont attachés à des intérêts, mais l'argent dont nous avons besoin pour rembourser ces intérêts n'existe pas. Pour rembourser vos intérêts, il faut que quelqu'un emprunte quelque part, pour créer le volume d'argent nécessaire. Il faut élaborer de nouvelles activités économiques. Donc de la croissance... Ce qui fait dire à l'économiste Bernard Lietaer : "Dans ce modèle, la croissance est indispensable. Les personnes qui pensent que nous pouvons aller vers une croissance zéro n'ont pas compris le système monétaire. Nous irions vers la banqueroute, tout simplement[14] !"

Dernier problème (et non des moindres) : l'essentiel de la création monétaire est assuré par des acteurs privés dont l'intérêt est de maximiser leurs profits et donc de démultiplier les crédits et de mettre en œuvre toutes les stratégies possibles pour gagner plus d'argent avec de l'argent. Nous savons où cela peut mener. Globalement, à ce que 97 % des mouvements d'argent soient spéculatifs, pour seulement 3 % dans l'économie réelle (les échanges de biens et de richesses tangibles)[15]. Cela conduit aussi à la concentration des richesses par quelques-uns. En substance, grâce à la mécanique des intérêts, plus vous avez d'argent et plus vous en obtiendrez. Comme l'explique Bernard Lietaer, "l'intérêt, c'est le transfert d'argent de quelqu'un qui n'en a pas assez vers quelqu'un qui en a déjà plus qu'il n'en faut. C'est une machine à succion automatique des ressources vers le sommet d'une société. C'est un moyen assez logique de défendre ses acquis, pour une élite. C'est d'ailleurs dans cet objectif que ce système a été inventé, il y a trois mille ans, à Sumer, au début du patriarcat[16]."

Nous libérer de cette architecture, qui nous contraint à une croissance infinie et à une guerre économique destinée à capter un maximum d'argent aux dépens des autres (puisqu'une rareté artificielle est entretenue), signifierait inventer une nouvelle fiction concernant la création monétaire. Fiction qui se développe depuis de nombreuses années dans le réseau des monnaies complémentaires et aujourd'hui des monnaies libres. Depuis 1934, les Suisses ont une double monnaie, le franc suisse et le franc WIR. Le WIR est l'invention d'entrepreneurs qui subissaient de plein fouet les conséquences de la dépression de 1929. C'est une monnaie créée sans intérêts et destinée aux PME. L'idée était toute bête : puisque les banques classiques ne voulaient plus leur prêter d'argent, qu'ils ne pouvaient plus investir et risquaient de basculer dans la récession, ces seize entrepreneurs décidèrent donc de créer leur propre moyen d'échange. Profitant d'une régulation plus souple qu'aujourd'hui, ils créèrent même une banque, qui alimente désormais 60 000 entrepreneurs. Deux études[17] menées par le professeur James Stodder[18] ont montré que ce système complémentaire au franc suisse assure à l'économie suisse et aux entreprises qui l'utilisent une résilience plus importante aux crises (ce qui fut notamment le cas lors de celle de 2009). D'autres lieux comme Bristol au Royaume-Uni, comme la région du Chiemsee en Allemagne, le Pays basque en France et plusieurs milliers d'autres expérimentent des monnaies locales, qui ne peuvent être dépensées que sur un territoire donné et dans un réseau d'entreprises locales et indépendantes. L'intention est de se doter d'un outil qui empêche l'argent de déserter le territoire en direction des multinationales, d'enraciner des entreprises, de limiter les délocalisations, d'empêcher l'évasion fiscale, de réduire les circuits entre producteurs, distributeurs et consommateurs, de limiter ainsi les émissions de CO_2, de redonner aux acteurs d'un lieu une certaine maîtrise de leur économie, de les libérer de la dépendance au marché. Désormais, grâce à internet, de nouveaux modèles émergent, comme les cryptomonnaies en blockchain[1]. Dans ce système, la monnaie s'échange directement entre les utilisateurs sur les marchés financiers grâce à des données informatiques cryptées, sans passer par le système bancaire conventionnel. Le bitcoin est la plus connue, mais son modèle spéculatif et incroyablement énergivore ne la place pas réellement dans la catégorie des initiatives écologiques et citoyennes les plus intéressantes. D'autres systèmes, comme Ethereum, bien moins gourmands en énergie se développent[19] et semblent plus soutenables. Des croisements entre monnaies locales et cryptomonnaies sont également élaborés, portés par les initiateurs du léman, la monnaie locale de Genève. À travers une plateforme développée sur un logiciel libre, n'importe qui pourra s'inscrire, créer une monnaie (elle peut être locale, pour des PME, libre, internationale) ou en utiliser une qui existe déjà. Une application sur smartphone permettra d'utiliser la monnaie pour échanger avec tous ceux qui sont déjà inscrits. Ce système n'aura pas de serveur central, c'est la multitude d'ordinateurs, reliés les uns aux autres, qui seront autant de "nœuds" du réseau et lui

I. La blockchain est une technologie de stockage et de transmission d'informations, transparente, sécurisée, et fonctionnant sans organe central de contrôle (définition de Blockchain France). Il existe des blockchains publiques, ouvertes à tous, et des blockchains privées, dont l'accès et l'utilisation sont limités à un certain nombre d'acteurs. Une blockchain publique peut être assimilée à un grand livre comptable public, anonyme et infalsifiable. Comme l'écrit le mathématicien Jean-Paul Delahaye, il faut s'imaginer "un très grand cahier, que tout le monde peut lire librement et gratuitement, sur lequel tout le monde peut écrire, mais qui est impossible à effacer et indestructible" (*Pour la science*, mars 2015, p. 80).

assureront sa stabilité. Contrairement au bitcoin, il n'y aura pas de spéculation sur ces monnaies et pas non plus d'intérêts lorsqu'elles seront créées.

À nouveau, voici une fiction particulièrement piquante. L'idée que l'argent, dont nous avons désormais un besoin vital, puisse être créé autrement que par l'État ou les banques privées est particulièrement déstabilisante. Mais ne devrions-nous pas être un peu déstabilisés d'apprendre comment fonctionne le système monétaire aujourd'hui ? Comme le disait Thomas Jefferson dans une lettre à John Taylor en 1816 : "Comme vous, je pense que les établissements bancaires sont plus dangereux que des armées prêtes au combat ; et que le principe de dépenser de l'argent à rembourser ultérieurement, sous le nom de crédit, est une future escroquerie à grande échelle[20]."

Reprendre la maîtrise de la création monétaire peut être un moyen de se doter d'une architecture où l'argent est dépensé pour ce qui nous semble prioritaire, au lieu d'être paralysés et asservis par les dettes. Car c'est notamment sur ce point que le bât blesse. Notre fonctionnement économique crée de la dette et accroît, ce faisant, la domination de certains acteurs sur d'autres. À ce titre, l'exemple de la Grèce est particulièrement édifiant... Pendant des années, la Grèce fut stigmatisée pour avoir fait exploser sa dette publique[I]. Régulièrement menacée d'être en cessation de paiements, elle dut notamment appeler à l'aide le Fonds monétaire international (FMI), le Fonds européen de stabilité financière, la Banque centrale européenne, et plusieurs pays d'Europe. Ces différents États et organismes consentirent à prêter plusieurs centaines de milliards au pays, en échange d'engagements stricts à conduire une politique d'austérité. Résultat : de nombreux services

I. Alors que les origines de cette dette sont plutôt à chercher du côté des banques privées, bien plus que d'une mauvaise gestion de l'État. Voir l'analyse d'Éric Toussaint : www.cadtm.org/Grece-Les-banques-sont-a-l-origine.

publics – hôpitaux, écoles... – subirent de plein fouet les restrictions. Officiellement, la troïka appelait à assainir les comptes, à réintroduire une bonne gestion. Dans les faits, elle ouvrait la voie à une privatisation de nombreuses activités d'intérêt général (la Grèce a accepté de privatiser ses ports, ses autoroutes, ses aéroports, son énergie...) et creusa, encore et encore, la dette publique du pays. L'essentiel de l'argent prêté chaque année au pays ne servait pas à relancer l'économie ou à payer des fonctionnaires en détresse, mais à rembourser les intérêts des emprunts précédents[1]. Alors que la dette représentait 129 % du PIB en 2012, elle pèse, en 2017, 185 %. Parallèlement, l'Allemagne, particulièrement dure à l'égard de la Grèce et la plus prompte à réclamer des mesures d'austérité alors que le pays était déjà exsangue, a pu réaliser près de 100 milliards d'euros d'économies depuis le début de la crise grecque en 2010, comme le révéla une étude allemande de 2015 : "Ces économies dépassent le coût engendré par la crise, et ce même si la Grèce ne remboursait pas entièrement sa dette. [...] Durant la crise européenne de la dette, l'Allemagne a profité de cet effet de manière disproportionnée", écrivent les économistes à l'origine du rapport[21]. "L'Allemagne a également raflé d'importants contrats lors des privatisations menées tambour battant par Athènes depuis 2011 en échange de l'aide financière des Européens notamment. La société Fraport, associée à un entrepreneur grec, a notamment décroché le contrat de rachat de 14 aéroports régionaux grecs, dont certains très touristiques comme Corfou, pour environ 1 milliard d'euros", rapporte *Le Figaro*[22]. La société chinoise Cosco a, elle, racheté le port du Pirée. De leur côté, la Banque centrale européenne et le FMI ont respectivement empoché 7,8 milliards et 2,5 milliards d'intérêts entre 2012 et 2016[23].

---

1. En 2015, les prêts servaient pour 86 % à rembourser la dette, pour 10 % seulement au budget de l'État, et pour 4 % au Fonds européen de stabilité financière (FESF) (www.cadtm.org/La-dette-publique-grecque-I).

Une illustration quasi parfaite de la concentration d'argent et de pouvoir que permet le système de création monétaire par le crédit avec intérêts.

Que se serait-il passé si le pays avait décidé de lancer une monnaie complémentaire, sans intérêts, non convertible en euros, qui ne pouvait être dépensée que dans ses limites géographiques, gardant l'euro pour ses échanges internationaux ? Certes, la Grèce aurait dû répondre devant la Commission européenne d'une entorse aux règles communes. Mais, dans les faits, il aurait certainement été capable de relancer son activité, se dotant d'un instrument d'échange pour des richesses que les Grecs continuent de produire, chaque jour... Pour le moment, l'ancienne fiction a été la plus forte. Mais que se passera-t-il si des dizaines de territoires se mettent à en élaborer une autre ?

Cet exemple démontre que les architectures changeront lorsque les règles du jeu auquel nous jouons collectivement changeront. Or, ces règles reposent à la fois sur un récit partagé et sur la confiance. C'est particulièrement frappant en ce qui concerne la monnaie. Un euro ne vaut un euro que parce qu'un tiers de confiance (la Banque centrale européenne) lui garantit sa valeur. Mais également parce qu'un nombre suffisant de personnes s'accordent à lui donner cette valeur. Le jour où la BCE dira qu'un euro ne vaut plus rien, vous aurez beau en avoir des milliers sur votre compte en banque, ils ne seront plus d'aucune utilité. Ce jour-là, votre boulanger, qui ramassait vos pièces sur son comptoir depuis des années, ne les acceptera plus. Ce qui semble absurde. Rien n'aura véritablement changé. Le pain sera toujours derrière lui sur ses étagères, vous serez toujours le même, exerçant le même métier, mais le moyen d'échanger les richesses que vous produisez tous deux se sera transformé, en un claquement de doigts. C'est également ce qui se produit en cas de dévaluation. Un jour votre billet a une valeur et le lendemain cette valeur a changé.

Comprendre l'importance des récits et des architectures est primordial. Dans nos organisations humaines, les quelques personnes capables de produire des récits suffisamment puissants pour entraîner derrière elles des millions d'autres, capables de créer ou de modifier les architectures (l'argent, la loi, le web...), détiennent le pouvoir. C'est ainsi qu'une toute petite minorité d'humains peut dominer une infinité d'autres. Elle a en main les règles du jeu. Jusqu'à ce que la majorité silencieuse prenne conscience qu'en se regroupant, en faisant bloc, elle peut les bouleverser. C'est ce qui s'est produit lors de la Révolution française ou de la révolution russe. Mais ce phénomène est rare. La plupart du temps, la coordination fait défaut. La "masse", ce que le général de Gaulle appelait avec mépris "les veaux", ne sait comment s'organiser, coopérer... Alors que rien n'est plus fondamental. Tout au long de l'histoire, la victoire est presque invariablement revenue à ceux qui coopéraient le mieux. Il est donc urgent d'apprendre comment y parvenir. Heureusement, des méthodes existent et ont déjà été adoptées avec succès.

6

C'EST QUAND LA RÉVOLUTION ?

Même s'il peut paraître essentiel de poser, comme je l'ai fait, les bases de quelques récits et architectures en nous fondant sur les nécessités qui nous apparaissent au début de l'année 2018, une telle entreprise ne se décrète pas. *Homo sapiens* est, comme le décrivait George Marshall, guidé par un double appareil cognitif, l'un rationnel et l'autre émotionnel. Ce n'est pas un hasard si ce sont les fictions qui ont été le véhicule privilégié de nos constructions collectives : le "cerveau émotionnel" prend le dessus, la plupart du temps. Il est donc fondamental, plutôt que de vouloir, de bonne foi, imposer des fictions que nous jugeons positives ou constructives, de créer des contextes structurels qui réveillent notre créativité, stimulent nos capacités d'empathie, nourrissent nos connaissances et suscitent notre enthousiasme. L'objectif n'est pas d'imaginer un pseudo-système idéal qui, heureusement, n'existe pas, mais, comme dans le système éducatif finlandais, de proposer un cadre dans lequel un maximum de personnes puissent le faire par elles-mêmes, nourries par leurs propres intuitions autant que par des connaissances plus objectives.

Certains groupes ou communautés sont passés maîtres dans l'art de susciter cet enthousiasme créatif et pourraient d'ores et déjà nous inspirer dans les actions à mettre en œuvre. On pourrait citer le Transition Network, initialement appelé mouvement des Villes en transition *(Transition Towns)*, qui réunit des habitants pour faire "transitionner" leurs villes vers une société post-pétrole, celui des Incredible Edible (Incroyables Comestibles) et de l'agriculture urbaine, qui propose de transformer les rues et les villes en potagers géants, celui des écovillages, des monnaies complémentaires... Dans des sphères plus politiques, des leaders comme Harvey Milk et le mouvement pour les droits des LGBT[1], les groupes à l'origine du Printemps arabe, Barack Obama et son *Yes we can* ont bâti des récits puissants, qui ont entraîné dans leur sillage des millions de

---

I. Lesbiennes, gays, bisexuels et transgenres.

personnes. À travers ces récits, elles ont été capables d'imaginer que les dictateurs égyptiens ou tunisiens pouvaient être renversés par de simples citoyens alors qu'ils régnaient sans partage sur leurs pays, depuis des décennies, que les homosexuels pouvaient avoir les mêmes droits que les hétérosexuels, qu'un homme noir pouvait devenir président des États-Unis...

Depuis plusieurs années, Sdrja Popović étudie de quelle façon ces récits se tissent et permettent à des révolutions d'émerger et, pourquoi pas, d'aboutir. Membre actif du mouvement Otpor qui a renversé Milošević en ex-Yougoslavie au tout début de notre siècle, député pendant quatre ans dans le nouveau Parlement serbe, il a créé en 2004 une organisation d'un type nouveau, CANVAS, une sorte de cabinet de consultants en révolution. Ainsi, des centaines de personnes viennent du monde entier se former à des principes de "guérilla non violente", susceptibles de renverser le pouvoir dans leurs pays.

À force d'étudier les différentes histoires de ces groupes, Popović a bâti une méthodologie en neuf principes exposés dans son ouvrage *Comment faire tomber un dictateur quand on est seul, tout petit et sans armes*[1]. Elle est certainement incomplète, contestable, mais elle s'appuie sur une recherche empirique et pratique suffisamment fournie pour que nous nous y attardions un instant. Car c'est bien la question qui nous occupe désormais : comment mobiliser des centaines, puis des milliers, puis des millions de personnes et comment leur permettre de s'organiser ?

Souvent, les "révolutions" que décrit Popović démarrent par de petites batailles, faciles à livrer, capables de fédérer largement. Car c'est une de ses premières leçons. Selon lui, les activistes, militants et autres sauveurs du monde font tous la même erreur : ils

---

1. Le titre original est encore meilleur : *Blueprint for Revolution : How to Use Rice Pudding, Lego Men, and Other Nonviolent Techniques to Galvanize Communities, Overthrow Dictators, or Simply Change the World.* Trad. Françoise Bouillot, Payot, 2015.

essaient de mobiliser autour de "grandes idées". Mus par la force de leurs convictions, une part d'entre eux restent persuadés que, s'ils expliquent sincèrement aux autres à quel point le dérèglement climatique est catastrophique, combien il est inhumain de laisser des petites filles se faire exciser au Soudan, qu'il est intolérable que des ouvriers travaillent dans des conditions dégradantes, pour un salaire de misère, au mépris des droits de l'homme, simplement pour que nous achetions des iPhone tous les deux ans et des fringues chez H&M tous les deux mois, ces autres entendront raison et se rangeront de leur côté. Mais si vous avez déjà essayé (et si vous lisez ce livre, il est fort probable que ce soit le cas), vous avez déjà remarqué que cela ne se passe ainsi. Dans le meilleur des cas, votre interlocuteur prend un air sincèrement contrit, hoche la tête et vous dit qu'il partage votre point de vue. Vous parviendrez éventuellement à lui faire signer une pétition en ligne, à ce qu'il partage sur Facebook ou sur Twitter le post rageur que vous avez rédigé, mais si vous lui proposez de s'engager dans un mouvement de lutte contre le changement climatique, contre l'excision des femmes, et de boycotter les smartphones, il y a fort à parier que vous connaîtrez moins de succès.

Pour Popović, cela tient au fait que la plupart des gens sont absorbés par leurs tracas quotidiens, que les devoirs du petit, les courses, le cours de danse ou l'entraînement de foot, le boulot... ne tardent pas à reprendre le dessus. Explication qui s'additionne à celle que j'ai avancée plus haut, arguant que notre temps est monopolisé par la nécessité de "gagner notre vie" et par le divertissement qu'offrent les écrans. George Marshall en émet une autre, tout à fait complémentaire. Toujours dans son ouvrage *Le Syndrome de l'autruche, pourquoi nos cerveaux veulent ignorer le changement climatique*, il étudie les mécanismes de notre cerveau qui s'activent lorsque quelqu'un nous entretient de vastes causes anxiogènes. Comme je l'ai déjà évoqué, notre appareil cognitif est séparé en deux : un hémisphère gauche dévolu au raisonnement, à la réflexion à long terme, séquentielle, à la rationalité, et un hémisphère droit plus consacré à nos émotions, à la gestion du court terme, à notre capacité à nous situer dans l'espace, à la réflexion holistique, à l'apprentissage[1]. Ces deux "cerveaux" mettent constamment en balance les informations que nous recevons et les traitent dans l'espoir de trouver le moyen le plus adéquat de réagir. Entrent régulièrement en jeu des notions de gains et de pertes, de court terme et de long terme. Or, des années d'évolution ont conduit notre cerveau émotionnel à prendre souvent le dessus sur le cerveau rationnel. Pour une raison toute simple : c'est lui qui nous permet de faire face au danger. Une voiture nous fonce dessus ? Nous ne passons pas une demi-heure à analyser la situation, notre cerveau émotionnel déclenche la sécrétion d'adrénaline qui va accélérer notre rythme cardiaque, pomper du sucre dans le sang, mobiliser nos muscles, orienter notre regard vers un abri, actionner nos jambes et nous faire détaler. Que se passe-t-il, alors, lorsque je vous explique que le changement climatique, la disparition des espèces et la destruction systématique des écosystèmes vont nous conduire à une sorte d'apocalypse écologique ? Si je suis suffisamment évocateur et que je parviens à vous faire peur, il y a de fortes chances que se déclenche le même mécanisme de fuite par rapport au danger. Pour faire cesser cette sensation désagréable qui étreint votre poitrine, modifie votre rythme cardiaque et vous étrangle, votre cerveau va se débarrasser de l'information en la reléguant, en la décrédibilisant ou en l'oubliant. Si j'ai été particulièrement barbant et que je vous ai assommé de chiffres, de données et d'études scientifiques, vous resterez certainement extérieur à mon discours. Ce ne sera qu'une abstraction de plus à ranger dans ce que le cerveau rationnel sait, mais ne veut pas croire. Dans les deux cas, lorsque vous serez

---

[1]. Il s'agit là d'une explication schématique. En réalité, même si des fonctions sont plus localisées dans un hémisphère ou dans un autre, l'ensemble du cerveau est activé lors de nos activités, comme l'a mis en évidence une étude de 2013 : "An Evaluation of the Left-Brain vs. Right-Brain Hypothesis with Resting State Functional Connectivity Magnetic Resonance Imaging", journals.plos.org/plosone/article?id=10.1371/journal.pone.0071275.

confronté à l'éventualité d'agir, votre cerveau mettra en balance la proposition qui vous sera faite et la passera par le filtre des deux hémisphères. Imaginons que je vous enjoigne d'arrêter de prendre l'avion pour que vos enfants puissent grandir dans un monde où il fera toujours une température supportable dans vingt ans. Vous considérerez une perte à court terme (ne plus prendre l'avion) face à un gain hypothétique à long terme. Car, comme vous le soufflera votre cerveau rationnel, rien ne dit que votre seul comportement aura une conséquence heureuse sur le climat. Rien ne dit non plus que votre engagement sera contagieux et que tout le monde vous imitera. D'autres facteurs entrent en ligne de compte. Votre cerveau rationnel ajoutera, sans doute à raison, qu'il serait plus efficace que les États régulent les émissions de gaz à effet de serre. Et que, pendant que vous faites des efforts qui ne servent certainement à rien, d'autres continuent à passer du bon temps à l'autre bout de la terre, à découvrir les merveilles du monde, à polluer et même à gagner de l'argent avec le trafic aérien, le tourisme de masse, etc. Et je ne parle même pas de ceux qui mettent en doute la réalité du changement climatique. Admettons maintenant que vous tombiez sur une super-promotion pour passer une semaine de vacances, en Guadeloupe ou en Martinique, avec l'être aimé. 50 % de réduction. En février, à Paris, alors qu'il fait froid, que vous n'avez pas vu le soleil depuis des mois, que votre boulot vous emmerde, que vous êtes fatigué. Que va peser l'hypothétique gain à long terme face au formidable gain à court terme ? Que va devenir l'information que vous avez enregistrée : un aller-retour Londres-New York égale 3 mètres carrés de banquise en moins ? Rien. Ou pas grand-chose. Vous la relativiserez et choisirez de prendre tout de même cet avion en égrenant toutes les bonnes raisons de le faire. Il en ira certainement de même pour le fameux rosbif de votre belle-mère, ce nouveau téléphone qui vous fait tellement envie, etc. La plupart du temps, notre cerveau cherche à nous maintenir en équilibre. À répondre aux frustrations (de notre travail qui nous harasse, de notre couple qui bat de l'aile, de nos enfants qui nous prennent tout notre temps libre), aux inquiétudes (de l'avenir qui est incertain, du manque d'argent, de l'insécurité), par des expériences agréables, réconfortantes. Il n'est pas véritablement configuré pour construire une réponse théorique, à long terme, aux grands problèmes qui se posent à nous. La plupart du temps, nous sommes convaincus que ce que nous pourrions faire ne servira à rien. Que nous sommes une goutte d'eau dans l'océan. Et notre hémisphère gauche aura beau suggérer (comme je l'ai fait plus haut) que les petits ruisseaux font les grandes rivières, cette idée ne l'emportera pas si nous n'en faisons pas concrètement l'expérience. C'est pour cette raison que la théorie de Popović, autrement formulée par l'écrivain militant Jonathan Kozol : "Choisissez des batailles assez importantes pour compter, mais assez petites pour les gagner[1]", est fondamentale. Et qu'elle s'applique non seulement à des actions collectives mais à notre vie de tous les jours. Elle rejoint la méthode des petits pas, que les Japonais ont dénommée *kaizen*. Elle est appliquée avec succès à la fois dans l'industrie (de façon parfois abrupte, d'ailleurs) et dans les thérapies comportementales, comme le relate Robert Maurer, professeur associé à l'école de médecine des universités de Los Angeles et de Washington, dans son ouvrage *Un petit pas peut changer votre vie : la voie du kaizen[2]*. Le militant farouche répondra à cette argumentation que nous n'avons pas le temps de faire des petits pas, que la situation est bien trop grave et trop sérieuse. Qu'il est trop tard. Mais c'est justement parce que nous avons peu de temps que ces approches sont fondamentales. Une multitude d'expériences montrent que vouloir s'attaquer immédiatement à un objectif trop grand est voué à l'échec. Alors qu'une stratégie globale faite d'une succession de petits pas, de petits objectifs stratégiques, de petites batailles remportables et remportées peut conduire plus rapidement à de grandes transformations. Robert Maurer pose la problématique de cette façon : que se passe-t-il si vous, médecin, proposez à un patient obèse, venu pour perdre du poids, d'arrêter du jour au lendemain les chips, les fast-foods, le sucre et de faire une heure de sport par jour ? Vous lui aurez évidemment expliqué à quel point sa situation met sa santé en péril, lui aurez relaté les études démontrant que l'exercice physique et l'alimentation peuvent éviter 40 % des cancers, aurez tâché de lui faire peur, de lui faire miroiter le gain à long terme que son nouveau poids, que sa santé retrouvée lui apporteront... Pourtant, lorsqu'il reviendra le mois suivant, non seulement il n'aura pas fait ce que vous lui avez prescrit mais il sera rongé de culpabilité et entamé dans son estime de soi. Pour un peu, il ne serait même pas revenu, trop honteux et découragé. Si, en revanche, vous commencez par lui proposer de faire cinq minutes d'exercice chaque jour tout en regardant la télévision, vous avez de grandes chances qu'il parvienne à remplir le contrat. Et que la satisfaction d'avoir remporté cette toute petite victoire, la facilité avec laquelle il y est parvenu, lui donne l'énergie et la confiance pour s'attaquer à dix minutes. Puis à quinze minutes et à se passer de chocolat devant sa série préférée. Et ainsi de suite.

Il en va de même avec les grands combats. Dans son ouvrage, Srdja Popović relate de nombreuses victoires d'envergure qui ont débuté par des défis modestes.

Ainsi, Gandhi n'a pas commencé par enjoindre aux Indiens de se rebeller pour renverser le régime britannique, sachant pertinemment qu'il était militairement supérieur. Il a entamé, avec soixante-dix-huit compagnons, une marche à travers les villages jusqu'aux rivages de son pays pour récolter du sel, manifestant ainsi sa protestation contre la taxe britannique qui ponctionnait un aliment jusqu'ici gratuit. Mais ils ne restèrent pas soixante-dix-neuf très longtemps. Après 385 kilomètres de marche, ils étaient douze mille à se masser sur les rives de l'océan Indien. Des marches similaires se multiplièrent à travers le pays. Des milliers d'Indiens gagnaient la mer et recueillaient, sans violence, le sel que la nature leur avait toujours offert. Le symbole était particulièrement bien choisi. L'utilisation du sel n'était pas réservée à une catégorie de la population, pas plus qu'à une caste. Elle concernait tout le monde. Des millions d'Indiens se mobilisèrent alors, non pour clamer de grands idéaux, mais pour répondre à un besoin quotidien, pragmatique. Après avoir jeté 80 000 désobéissants en prison (où Gandhi passa neuf mois), le vice-roi reconnut son impuissance à faire appliquer sa loi et la supprima. Gandhi avait prouvé aux Indiens qu'en s'unissant et en s'organisant, ils avaient du pouvoir. Et, une fois cette première graine plantée, il pouvait leur proposer d'autres perspectives.

De son côté, Harvey Milk ne se heurtait pas au pouvoir militaire britannique mais aux préjugés, à la discrimination contre les homosexuels. À son arrivée à San Francisco, il n'eut de cesse d'organiser des campagnes, des actions pour défendre leurs droits. Bien que porté par son charisme, son intelligence et ses talents d'orateur, malgré quelques actions efficaces, il ne parvenait qu'à enrôler une minorité d'homosexuels militants dans son sillage. C'est ce qui se produit la plupart du temps : nous, militants, excellons dans l'art de rassembler les gens qui sont déjà d'accord avec nous. Malheureusement, les autres habitants de la ville – pourtant parmi les plus progressistes des États-Unis – n'avaient pas l'intention de se mobiliser pour une cause qui leur était indifférente ou qu'ils réprouvaient. Même certains homosexuels ou sympathisants pouvaient nourrir quelques réserves inquiètes. En 1973, quand Milk se présenta pour la première fois comme conseiller municipal, l'homosexualité était toujours considérée comme un trouble mental dans le meilleur des cas et comme un délit dans le pire. Les électeurs n'étaient pas prêts à voir un homosexuel prendre des responsabilités politiques dans le pays. Sa première candidature fut donc un échec cuisant. La seconde en 1975, même si elle échoua, lui permit d'obtenir une certaine visibilité sur la scène politique locale et d'être nommé par le maire dans son administration. Mais Milk voulait être élu. Il se lança donc dans la course pour siéger à l'Assemblée de Californie. Malgré une campagne efficace, il perdit à nouveau d'une courte tête (4 000 voix exactement). Après ces trois échecs, Harvey changea son fusil d'épaule et en 1977, opposé à une candidate républicaine très populaire, chercha à comprendre ce qui pourrait faire l'unanimité chez les administrés de sa ville. Il étudia les sondages pour dénicher LE sujet qui cristallisait le mécontentement de toutes les couches de la population. Et le dénominateur commun qu'il vit émerger fut... les crottes de chien. Qu'ils soient noirs, blancs, hétérosexuels, homosexuels, républicains, démocrates, jeunes ou vieux, les habitants de San Francisco en avaient assez que leurs trottoirs et leurs semelles soient maculés de merde. Il fallait organiser un système qui débarrasserait la ville de ce fléau. C'est donc derrière cet objectif, non clivant, pragmatique, facile à atteindre (démagogique, diraient certains) que Harvey les unit. Grâce à son projet de loi, largement soutenu, projetant de faire payer une amende aux propriétaires de chiens délictueux, il remporta l'élection, devenant ainsi le premier conseiller municipal ouvertement gay du pays. Soutenu par le maire, celui qu'on surnommait déjà "le maire du Castro[I]" put élargir son action à toute la population. Ainsi, il fit voter une loi interdisant toute discrimination basée sur l'orientation sexuelle[II], en bloqua une autre qui aurait permis à l'État de renvoyer les étudiants homosexuels[III] et inspira des générations de militants dans les années 1980 et 1990[IV].

La nourriture tient souvent une place centrale dans les histoires que narre Popović, comme dans celle d'Itzik Alrov, juif orthodoxe israélien, vendeur d'assurances, qui, révolté par la hausse du coût de la vie dans son pays – à la suite d'une politique de privatisation sauvage –, décida de lancer sur Facebook un boycott du *cottage cheese,* un aliment de base présent dans tous les foyers du pays, que l'État avait brutalement cessé de subventionner et dont le prix

I. Célèbre quartier gay de San Francisco où résidait Harvey Milk.
II. Loi appelée "la plus stricte et la plus englobante de toute la nation" par le *New York Times.* "Bill on Homosexual Rights Advances in San Francisco", *The New York Times,* 22 mars 1978, p. A21.
III. La proposition 6.
IV. En écrivant cela, je n'omets pas que son triste assassinat contribua également à sa postérité, et à son statut de martyr de la cause gay.

avait doublé. En quelques mois, grâce à des blogs, des médias, à la viralité des réseaux sociaux, mais aussi grâce au manque de discernement des grandes compagnies laitières qui vendaient le *cottage cheese*, grâce au symbole simple et concret que ce petit pot de fromage frais représentait, des centaines de milliers de personnes rejoignirent le boycott jusqu'à faire plier les entreprises. Elles durent se résoudre à réduire le prix du précieux fromage frais, le passant de 8 à 5 shekels. Et cette première victoire inspira l'un des plus importants mouvements sociaux du pays. Il en fut de même aux Maldives où les révolutionnaires purent contourner les interdictions de rassemblement en organisant des distributions publiques de riz au lait (nourriture de base, là aussi). C'est dans les files d'attente surveillées par l'armée que s'organisa la révolution qui renversa le pouvoir.

Rob Hopkins, le fondateur du Transition Network, raconte lui aussi[3] de quelle façon un groupe qui cherchait à lancer une ville en transition en Angleterre échouait lamentablement à éveiller l'intérêt des gens. Jusqu'au jour où ils se posèrent sincèrement la question : "Qu'est-ce qui rassemble les habitants de notre petite ville ? Qu'est-ce qui intéresse tout le monde ou presque, sans distinction ? Est-ce le réchauffement climatique ? Est-ce le pic pétrolier ?" Il était à peu près évident que personne n'allait se ruer sur la grande place ou à une réunion d'information au son du clairon de l'un de ces deux sujets. Mais un autre avait peut-être ce pouvoir : la bière. C'est ainsi que le groupe lança un projet de microbrasserie locale. Et, comme par enchantement, il y eut foule. Ils organisèrent une levée de fonds et proposèrent des parts aux habitants. Porté par ce premier élan, le groupe s'intéressa ensuite à l'idée de relocaliser la nourriture, l'énergie, l'économie et par conséquent... à la Transition.

En s'organisant autour de petits objectifs, capables de mobiliser largement, nos révolutionnaires en herbe ont pu remporter de premières victoires qui donnèrent au groupe la confiance et l'élan nécessaires pour s'attaquer à des défis plus importants.

Une fois cette première étape passée, Popović en propose de nombreuses autres pour aller au bout d'une action massive et collective. Voici ses neuf principes :

1. Voir grand mais commencer petit.

2. Se doter d'une "vision pour demain" capable de fédérer largement (en d'autres termes, le récit dont nous parlons depuis le début de cet ouvrage).

3. Identifier les piliers sur lesquels le pouvoir repose.

4. User de l'humour.

5. Retourner l'oppression contre elle-même (par exemple en touchant des influenceurs capables de renverser l'opinion).

6. Construire l'unité entre les différents courants qui composent votre mouvement (un bon mouvement est hétérogène, composé de personnes qui ne se retrouvent pas d'habitude).

7. Élaborer une stratégie précise, étape par étape, jusqu'à l'objectif que vous vous êtes donné (une grande victoire égale une succession de petites).

8. Choisir la non-violence.

9. Aller au bout de ce que vous avez commencé.

Vous pouvez explorer en détail ces neuf points dans l'ouvrage de Popović, mais je voudrais ici m'attarder sur quelques-uns.

En premier lieu : les piliers du pouvoir. Pour espérer renverser un système, aussi puissant soit-il, il est nécessaire de bien comprendre ce qui lui donne son assise pour orienter le plus stratégiquement possible notre action. Sur quoi repose donc notre système libéral, capitaliste ? À mon sens, sur trois piliers principaux que j'ai déjà largement évoqués et que je me contenterai donc de rappeler.

D'abord, le pilier économique et financier. C'est grâce à leurs ressources financières considérables que des milliardaires, des sociétés multinationales, de grandes banques, des dirigeants de toutes sortes sont capables d'orienter nos sociétés ou de paralyser toute évolution politique. Google, Apple, Amazon et leurs équivalents chinois ont, à bien des égards, plus de poids pour donner une direction au monde que de nombreux présidents, chancelières ou Premiers ministres. Dans ce contexte, le mécanisme de création monétaire (architecture) joue un rôle crucial pour permettre à ceux qui possèdent le plus d'argent de conserver leurs acquis.

Ensuite, le pilier de la communication et du récit. Comme je l'ai longuement évoqué, c'est parce que la majorité de la population continue à adhérer au même récit que les électeurs continuent à voter pour les mêmes partis, à jouer le jeu de la démocratie dans sa forme actuelle, à acheter les produits des grandes entreprises. Ce récit est soutenu et renforcé par des médias (qui appartiennent majoritairement, en France, à dix milliardaires[1] qui voient, là aussi, une opportunité de perpétuer le récit sur lequel ils ont prospéré), des productions culturelles, des outils de communication, des architectures ergonomiques, algorithmiques qui captent notre attention, nous abreuvent de messages publicitaires, nous divertissent et, ultimement, orientent nos choix. Le cinéma, que je n'ai pas beaucoup abordé, a, depuis sa démocratisation, joué un rôle fondamental pour renforcer ce pilier. Goebbels en a abondamment usé pour glorifier le régime nazi. Hitler, bien conscient de la prééminence du cerveau émotionnel sur le cerveau rationnel, déclarait d'ailleurs : "L'art de la propagande consiste à être capable d'éveiller l'imagination publique en faisant appel aux sentiments des gens, en trouvant des formules psychologiquement appropriées qui attirent l'attention des masses et toucheront les cœurs [...]. L'image sous toutes ses formes, jusqu'au film, a encore plus de pouvoir sous ce rapport. Là, l'homme doit encore moins faire intervenir sa raison ; il lui suffit de regarder." Staline ne désapprouvait pas, lui qui confia un jour : "Le cinéma est le plus efficace outil pour l'agitation des masses. Notre seul problème, c'est de savoir tenir cet outil bien en main." Les Américains,

---

I. Leur influence s'exerce sur 90 % des journaux vendus, 55 % des parts d'audience télévisuelle et 40 % de l'audience radiophonique : www.bastamag.net/Le-pouvoir-d-influence-delirant-des-dix-milliardaires-qui-possedent-la-presse.

qui avaient parfaitement compris tout cela, mirent le cinéma au cœur de la négociation du plan Marshall. Eric Johnston, président de la Chambre de commerce américaine et de la Motion Picture Association of America (il est intéressant de voir qu'il cumulait ces deux fonctions), fut dépêché en France lors des négociations entourant les modalités du plan Marshall en 1947. En échange des milliards attribués à la reconstruction, il imposa de disposer de 60 % des droits de diffusion sur les écrans européens. Comptant ainsi y implanter la culture américaine : le Coca, les jeans, les supermarchés, les voitures, les pavillons de banlieue, la frénésie consumériste, le rêve américain... Il déclara d'ailleurs devant la Commission des activités anti-américaines : "Le cinéma américain est et doit être toujours davantage une arme de combat contre le communisme." Et en faveur du capitalisme, cela va de soi[4].

Enfin, le pilier répressif. Il reste un fait que les États ont la capacité d'écraser une révolution ou un mouvement réformateur par l'armée, la police, la surveillance de masse et les lois liberticides. Situation que l'on rencontre communément dans les régimes dictatoriaux, mais qui s'est également traduite – dans des mesures qui ne sont évidemment pas comparables – lors de l'épisode Nuit debout en France ou Occupy Wall Street aux États-Unis. La répression policière et les mesures limitant les libertés (devenues des lois, pour certaines d'entre elles[5], à l'instar du Patriot Act aux États-Unis après le 11 Septembre) ont joué un rôle non négligeable dans l'étouffement des deux mouvements, de concert avec leur propre manque d'organisation que j'évoquerai plus loin. Le scandale de la collecte des données, révélé par Edward Snowden, et de l'utilisation que peut en faire la toute-puissante NSA aux États-Unis, nous a donné un aperçu de ce que l'avenir nous réserve sur ce plan. Il est aujourd'hui très facile d'avoir accès au contenu de vos e-mails, conversations téléphoniques, textos, messageries sur les réseaux sociaux, il est même possible de se connecter à distance au micro ou à la caméra de votre ordinateur ou de votre téléphone, de vous observer ou d'enregistrer un petit film de vos activités. En Chine, cent soixante-dix millions de caméras de vidéosurveillance à intelligence artificielle, couplées à un logiciel de reconnaissance faciale, permettent à un programme informatique d'identifier en quelques secondes des individus suspects, où qu'ils soient, et de pister leurs déplacements[6]. D'ici à 2020, le gouvernement prévoit d'en installer six cents millions. Depuis peu, les policiers sont également équipés de lunettes qui remplissent la même fonction[7]. Le modèle bas de gamme coûte 515 euros et a été commandé par les États-Unis et le Japon. Cette localisation des individus est déjà possible grâce à la puce de nos téléphones et au système de géolocalisation de nos smartphones. Il est également possible depuis quelques années d'implanter aux humains des puces sous-cutanées de la taille d'un grain de riz. L'utilisation de ces puces va du stockage de données (notre dossier médical, nos papiers d'identité, nos cartes d'abonnement) au paiement (nous pouvons nous en servir comme d'une carte bancaire sans contact), à l'utilisation médicale (comme pacemaker, comme sonde pour analyser notre sang, notre pression artérielle, etc.), à la domotique (allumer la lumière ou la chaîne hi-fi dans une pièce, ouvrir une porte...). De son côté, PayPal, le géant du paiement en ligne, planche sur une pilule qui, une fois ingurgitée, permettra de ne plus avoir à taper des mots de passe. "« Implantés », nous deviendrons non seulement traçables mais piratables", témoigne le journaliste Guillaume Grallet, qui a tenté l'expérience pendant une semaine[8]. Ce qui est perçu comme une formidable innovation par certains deviendra le plus efficace moyen de contrôle qui soit. Que se passera-t-il lorsque notre banque décidera de bloquer notre compte, que notre compagnie d'assurances décidera d'augmenter notre cotisation ou de résilier notre contrat, que notre passeport sera bloqué aux frontières parce que nous serons considérés comme de dangereux dissidents par le gouvernement ? Des hackers ont même réussi à pirater des pacemakers. Ce qui veut potentiellement dire que nous pourrions être "débranchés". Le moyen de contrôle et de répression ultime.

J'ai déjà évoqué des stratégies permettant de s'attaquer aux piliers de l'argent et du récit. Face au pilier "militaire", Popović recommande la non-violence et le nombre. N'importe quel groupe sera toujours battu par l'armée et la police s'il se place sur le terrain de la violence. "Dans une lutte non violente, la seule arme dont vous disposez est le nombre", écrit-il. Or, la non-violence est également le meilleur moyen de rallier largement, comme le résume l'activiste indienne Vandana Shiva : "Nous ne pouvons plus nous permettre de n'être qu'un club, une très bonne armée souterraine, mais qui ne compterait que très peu de membres. Si vous voulez étendre le cercle des personnes engagées, la non-violence est la bonne voie. La plupart des gens n'aspirent ni à la violence ni au chaos[9]." Et ce sont effectivement des stratégies majoritairement non violentes, impliquant le plus grand nombre, qui ont fait triompher (provisoirement) les Islandais, les Égyptiens, les Tunisiens, les Indiens ou les Serbes lors de leurs révolutions respectives, ainsi que le mouvement des droits sociaux de Martin Luther King aux États-Unis. Une pléiade d'entre elles sont recensées dans le grand classique de la révolution non violente de Gene Sharp, *De la dictature à la démocratie*, qui a beaucoup inspiré Popović et ses amis[10].

Les deux autres points, parmi les neuf de la méthodologie proposée par Popović, que je voudrais commenter plus brièvement sont le numéro 7, "Élaborer une stratégie précise", et le numéro 9, "Aller au bout de ce que vous avez commencé". Selon notre révolutionnaire serbe, de nombreux mouvements échouent dans leurs tentatives révolutionnaires pour avoir mal défini le résultat à obtenir ou pour s'être enlisés dans une organisation... désorganisée. Les révolutions arabes offrent un exemple typique d'objectif mal calibré. Une fois dans les rues, les différents mouvements se sont donné pour but de faire tomber les dictateurs. Alors qu'il s'agissait en réalité d'un objectif intermédiaire. La finalité de ces mouvements était d'instaurer un régime démocratique. Mais, pour s'être arrêtés trop tôt, ils n'ont pas élaboré de plan pour "l'après". Une fois Moubarak et Ben Ali renversés, il n'existait pas de stratégie prête. Comme la nature a horreur du vide, ceux qui ont pris le pouvoir étaient, comme toujours, les mieux organisés : les Frères musulmans en Égypte (avant que les militaires ne reprennent les choses en main) et les Occidentaux en Tunisie. J'ai pu m'entretenir avec une des membres de l'équipe du président Moncef Marzouki, qui me confiait le désarroi du cabinet peu après sa désignation. Personne ne savait véritablement quoi faire. Par défaut, les orientations politiques ont donc été "inspirées" par l'Occident et, en premier lieu, la France.

Occupy Wall Street et sa petite sœur Nuit debout sont, quant à eux, des illustrations d'enlisement. Alors que l'élan initial était électrique, que, pour la première fois depuis des décennies, des jeunes gens envahissaient les places, ouvraient des espaces de dialogue et de réflexion sur la société, pratiquaient de nouvelles formes d'agora et de fonctionnements démocratiques, le manque de stratégie (par ailleurs revendiqué comme un espace libre de toute tutelle) a fini par épuiser la dynamique. Un mouvement a besoin de réflexion, de convivialité, mais également d'action et de victoires pour alimenter son enthousiasme et sa détermination. Discuter sans fin dans le froid, subir les assauts des forces de l'ordre, s'abîmer dans la vie collective et ses difficultés sont des écueils fondamentaux à prévoir... La victoire, dans n'importe quel conflit ou affrontement, revient toujours à ceux qui ont su le mieux s'organiser. C'est également vrai sur le terrain économique. Les multinationales sont bien souvent mieux organisées et donc plus puissantes que les groupements de petits commerçants, les policiers et les militaires sont mieux organisés que les manifestants, les lobbyistes de Wall Street ou de Bruxelles sont infiniment mieux organisés que les ONG...

Par ailleurs, Occupy et Nuit debout n'avaient pas réellement de "vision pour demain" bien définie. Les deux mouvements étaient davantage dans une opposition et une dénonciation du modèle actuel que dans la projection puissante d'un nouveau récit. Étant donné la spontanéité du démarrage, personne n'avait véritablement déterminé de stratégie subdivisée en une succession d'étapes atteignables, destinée à faire tomber des piliers stratégiques du pouvoir. Ou, si certains l'ont fait, sa mise en œuvre a fait défaut...

Enfin, en se promenant place de la République à Paris ou dans le square Zuccotti à New York, une fois les premiers grands rassemblements terminés, on ne pouvait s'empêcher de noter une certaine homogénéité dans les participants. Bien sûr il y avait des mères de famille, autant que des retraités, des jeunes, avec une pluralité de métiers différents. Mais place de la République on trouvait en majorité des personnes blanches, de classe moyenne et de culture militante. Les deux mouvements ont échoué à créer l'unité entre des composantes très différentes de la société : les habitants des quartiers difficiles, ceux des quartiers bourgeois, les croyants, les syndicats...

Et il en va de même pour la plupart des stratégies adoptées par les militants du climat, de la biodiversité ou des inégalités. Elles sont généralement partielles, segmentées, parfois spectaculaires mais sans vision de long terme. Elles manquent de leaders et, surtout, impliquent rarement une coopération entre élus, entrepreneurs et citoyens...

A contrario, une partie des leaders du mouvement du 15M et des Indignés en Espagne, qui avait rassemblé une plus grande proportion de la société, se sont rapidement tournés vers la politique. Avec Podemos, qui connaît un succès encore timide aux élections, mais surtout avec la dynamique des villes rebelles d'Espagne : Barcelone, Madrid, Valence, Saragosse... où des maires (souvent des femmes) ont engagé de passionnantes innovations politiques[11].

Ce qui nous amène à un nouveau point : à quelle échelle mettre ces stratégies de transformation en œuvre ?

L'idée que les villes pourraient se transformer plus vite que les États, être le lieu d'une "révolution" culturelle, me paraît une fiction à considérer sérieusement. L'épisode du retrait américain des accords climatiques de Paris en est une illustration piquante.

Face à un président stupide, immature, vociférant qu'il a été élu pour défendre les habitants de Pittsburgh et non de Paris, les Américains et pas les habitants du reste du monde (comme si le changement climatique s'arrêtait aux frontières), des dizaines de maires, de gouverneurs ont rapidement répliqué qu'ils appliqueraient l'accord localement et chercheraient même à aller au-delà. Ce sont déjà des dizaines de villes et trois États (Washington, Californie, New York) où vivent plus de 68 millions d'Américains qui s'y sont engagés. Parallèlement à ce mouvement spontané, d'autres ont, ces dernières années, emprunté les mêmes chemins. Le maire de Los Angeles a lancé le groupe Under 2, dont l'objectif est de rallier un maximum de territoires qui veulent tout faire pour rester au-dessous des 2 degrés fatidiques. À ce jour, 175 collectivités dans 35 pays, sur 6 continents, ont signé. Ce sont près de 1,2 milliard d'êtres humains qui vivent sur l'un des territoires dont l'édile s'est engagé à respecter cet objectif. Anne Hidalgo, qui préside le C40[1], est la figure de proue d'une dynamique de maires de grandes agglomérations mondiales (qui sont désormais près de 90), bien décidés, eux aussi, à s'attaquer aux problèmes sociaux et écologiques. Le 23 octobre 2017, Paris, Londres, Barcelone, Quito, Vancouver, Mexico, Copenhague, Seattle, Le Cap, Los Angeles, Auckland et Milan se sont engagés à rendre de larges zones de leurs villes "zéro émission" d'ici à 2030[12]. Paris s'est donné l'objectif d'être totalement neutre en émissions de CO_2 en 2050, en dévoilant une solide étude et en proposant un véritable récit de ce que la capitale pourrait devenir dans les décennies à venir[13]. C'est également le cas d'Oslo, Stockholm, San Francisco, Sydney, Yokohama, Berlin, Rio de Janeiro, Londres et des nombreuses villes membres de l'Alliance des villes

---

I. Le C40 ou Cities Climate Leadership Group regroupait initialement les 40 plus grandes agglomérations mondiales pour engager une action contre le changement climatique. Elles sont désormais 90...

neutres en carbone, qui veut réduire de 80 à 100 % ses émissions de gaz à effet de serre d'ici au milieu du siècle[1]. Pour financer cette transformation, la ville de New York a engagé le 10 janvier 2018 une action en justice contre les pétroliers ExxonMobil, Chevron, BP, Shell et ConocoPhillips, leur demandant réparation pour les dégâts causés par le changement climatique sur son territoire. Parallèlement, la municipalité et l'État de New York ont amorcé un désinvestissement des énergies fossiles qui pourrait s'élever à plus de 5 milliards de dollars d'ici à 2022. Selon l'ONG 350.org, plus de 800 institutions dans le monde (administrations, organisations religieuses ou philanthropiques, universités, institutions culturelles, etc.) ont déjà fait le choix de ne plus investir dans les énergies fossiles et ont placé plus de 6 milliards de dollars dans d'autres activités, que l'on espère plus écologiques[14].

Selon un rapport de l'ONU, les villes rassembleraient désormais plus de la moitié de la population mondiale et seraient responsables de 70 % des émissions de gaz à effet de serre. Leur rôle et leur pouvoir en la matière sont cruciaux[15].

Or, loin d'agir chacun dans leur coin, ces territoires se rassemblent, organisent les prémices d'une action collective, concertée, d'une certaine façon l'amorce d'une gouvernance. Et si les villes s'organisaient en passant par-dessus les États ? Qu'adviendrait-il ?

Est-ce qu'une coalition de villes, souple, laissant à chaque cité la liberté de sa politique mais s'entendant sur de grands objectifs communs, pourrait plus efficacement porter la transition de nos sociétés que des États souvent paralysés ? On peut sérieusement se poser la question. Car, en somme, qu'est-ce qui coince nos États ? L'impossibilité de satisfaire tout le monde, l'influence démesurée des multinationales et de leurs lobbyistes, la lourdeur institutionnelle,

---

1. Même si les solutions avancées s'appuient encore beaucoup sur des réponses technologiques peu soutenables (numérique, panneaux solaires, high-tech), la volonté est là. Reste à innover pour entrer dans des mécanismes du type de l'économie symbiotique évoquée précédemment.

la déconnexion des élus par rapport à leurs électeurs, le désinté-rêt et la méfiance grandissante des citoyen(ne)s ? Sans doute un peu de tout ça. Au contraire, les villes, métropoles, agglomérations ont une agilité plus grande, les élus administrent des lieux dans lesquels ils vivent, les hommes et les femmes qui votent peuvent plus directement s'impliquer dans les prises de décision locales et dans leur mise en œuvre. La coopération entre élus, citoyens et entrepreneurs est bien plus facile à organiser. Résultat : des poli-tiques bien plus ambitieuses peuvent être entreprises. Car, si l'on y pense, qu'est-ce qui a le plus transformé la vie des habitants de San Francisco, de Paris, de Copenhague ces vingt dernières années : les politiques nationales ou les politiques locales ? Peut-être qu'imagi-ner une hybridation où les États sont les garants des institutions, de la sécurité, de la protection sociale, de l'égalité et où les terri-toires sont à la pointe de la transformation sociétale est une fiction crédible. En tout cas, elle mérite d'être explorée plus résolument.

À nouveau, dans chacun des exemples évoqués, la capacité de mobiliser au-delà des cercles militants, d'organiser l'action, de per-mettre la coopération, est cruciale. Comme je l'ai déjà évoqué, une poignée de personnes bien organisées peut prendre le dessus sur des millions qui ne le sont pas. C'est ainsi que fonctionne le monde depuis des siècles. Pour autant, ce n'est pas une fatalité. Grâce à la capacité de nous organiser en réseaux qu'offre internet, nous pour-rions transformer nos structures sociales, politiques, économiques de façon extraordinaire. Mais, pour cela, nous devons choisir d'éla-borer une fiction qui place la coopération et l'altruisme comme valeurs cardinales.

7

L'HEURE DU CHOIX

D' une certaine façon, la question qui nous occupe est infiniment spirituelle. Quel sens donnons-nous à notre présence sur cette planète ? Rien ne dit qu'il existe un sens prédéfini, transcendant, souverain. Qu'une force supérieure soit à l'œuvre pour organiser la vie et la conduire sur un chemin d'évolution tout tracé. Peut-être existe-t-elle. L'étude du vivant, de l'infiniment petit à l'infiniment grand, plonge de nombreux scientifiques dans un abîme de mystère et d'émerveillement. Il suffit d'avoir un jour observé des flocons de neige de près pour ressentir le mélange de stupeur et d'admiration qu'inspire une telle perfection. Dès lors, les êtres humains n'ont cessé de s'interroger sur les forces à l'œuvre dans cette kyrielle de processus tous plus ingénieux, plus complexes les uns que les autres ; sur l'origine de ces architectures infinies qui composent l'univers et que notre esprit est incapable d'embrasser. Une grande part de nos agissements est un prolongement inconscient de cette quête. De cet insatiable désir de comprendre qui nous sommes, d'où nous venons, où nous allons. La conscience de notre finitude nous confronte à une forme d'aberration. Pourquoi nous avoir donné la capacité de vivre en sachant que nous allons mourir ? Cette spécificité – la pensée, la réflexion, la conscience et par extension le langage – nous a-t-elle été instillée par un virus, comme le conjecture une étude récente[1], ou par les hasards de l'évolution ? Est-elle le fruit d'un plan divin ? Nous confère-t-elle une responsabilité particulière par rapport aux autres espèces, comme certains mythes religieux l'ont enseigné à des générations entières ? Aucune preuve scientifique n'est en mesure de trancher ce débat. En revanche, nous, êtres humains dotés de langages, avons le pouvoir de construire ce sens. C'est ce que les traditions religieuses, les systèmes politiques s'efforcent de faire depuis des siècles. Ce que les apôtres du capitalisme, du matérialisme, du consumérisme, ont mis en œuvre, organisant une civilisation mondiale aujourd'hui au bord de l'effondrement. C'est ce qu'entreprennent aujourd'hui les tenants du transhumanisme, nous faisant miroiter un être humain capable de braver les limites de sa mort biologique, d'augmenter et de stimuler son cerveau grâce aux puces implantées, aux électrodes, lui permettant d'atteindre de nouveaux états de conscience, d'accomplir des tâches auxquelles *Homo sapiens* n'aurait pu rêver. C'est aussi ce à quoi s'évertuent les mouvements écologistes, les mouvements pour les droits humains, imaginant un monde où nous nous relierions au reste de la nature, nous en inspirant, y puisant un souffle nouveau, permettant de construire un équilibre entre les êtres vivants, dans leur ensemble.

Nous sommes face à un choix. Sans doute l'un des carrefours philosophiques les plus cruciaux dans la courte histoire de notre espèce. Quel récit allons-nous alimenter ?

Pour répondre à cette question, il me paraît nécessaire d'en poser une autre : de quelles parties de nous-mêmes ces récits émergent-ils ? Pouvons-nous les décréter ou sont-ils l'agrégat des stimuli, des expériences intellectuelles et sensorielles qui nous traversent, encombrent notre mémoire, notre inconscient et saturent nos sens ? Si tel est le cas, ne devrions-nous pas choisir quelles expériences nous traverserons ? Si notre corps est l'instrument de nos perceptions, que la réalité autour de nous est un vaste champ de vibrations, il n'est pas anodin de le plonger dans une réalité ou dans une autre. L'exposer au fracas des rames de métro, au rayonnement des écrans, aux gaz des véhicules, l'abreuver sans cesse d'informations à travers nos multiples outils de communication, l'entraîner dans une frénésie urbaine, l'abrutir d'un travail qui ne mobilise pas notre sensibilité, notre créativité, notre libre arbitre, nous permet-il de laisser émerger les visions d'un monde différent ? Je ne le crois pas. Nous avons besoin de silence. De sentir notre respiration, de prêter attention aux signaux que notre corps émet, à chaque instant. À la nourriture que nous ingérons. De nous plonger dans la nature, au contact des arbres, de la terre, du ciel immense. De rencontrer les créatures qui peuplent cette planète à nos côtés. Aussi bien les animaux que les êtres humains qui ne partagent pas notre culture et notre point de vue sur le monde. Comment espérer développer un tant soit peu d'empathie, comprendre ceux qui nous entourent, si nous n'en avons qu'une expérience virtuelle, noyée dans un flot ininterrompu de stimulations ? Des travaux toujours plus nombreux mettent en lumière les bienfaits d'un arrêt délibéré de notre "machine automatique à penser". De la possibilité de nous plonger dans l'instant présent, que ce soit à travers la respiration, la méditation, la marche, la poésie, la peinture ou toute autre activité mobilisant nos sens et notre concentration, dans un même élan. Il me paraît impossible de trouver la ressource et la clairvoyance pour réorienter l'Histoire – notre histoire, nos histoires – sans nous abandonner à ces moments de plénitude et d'apaisement. Nous ne sommes pas extérieurs à la nature, nous sommes la nature. Nos corps sont d'extraordinaires écosystèmes, inextricablement liés à l'ensemble du vivant. À l'aube du XXIe siècle, nous semblons redécouvrir ce simple état de fait, nous réveillant d'une longue léthargie. Malgré notre remarquable ardeur à développer des outils technologiques capables de maîtriser les ondes, les rayonnements, reliant par des appareils, des puces, des antennes nos cerveaux, transférant à une vitesse étourdissante des données, des data en un flux ininterrompu, nous ne nous sommes que très peu tournés vers l'intérieur de nous-mêmes. Depuis quelques années, pourtant, cette question émerge dans les travaux de psychiatres, de scientifiques, de religieux. Le docteur Jon Kabat-Zinn fut l'un des premiers à enseigner, dès 1979, la méditation de pleine conscience (une méditation laïque inspirée du zen) dans les hôpitaux aux États-Unis. Il officie désormais dans près de trois cents établissements. Le psychiatre Christophe André l'utilise avec ses patients de l'hôpital Sainte-Anne. Leurs recherches et de nombreuses autres ont mis en lumière l'efficacité de la méditation dans la réduction du stress, de l'anxiété, pour améliorer la digestion, réguler le rythme cardiaque. Certains patients parviennent à se passer d'anxiolytiques grâce à une pratique assidue. Même la police de New York a mis en place ce type de formation pour ses fonctionnaires avec des résultats étonnants[2].

Dans son passionnant *Plaidoyer pour l'altruisme*, le moine bouddhiste Matthieu Ricard offre un vaste panorama des résultats que les expériences impliquant la méditation ont produits à travers le monde. Au regard d'une multitude d'études scientifiques, il démontre que l'être humain est plus naturellement altruiste qu'égoïste. Et, mieux, que cette tendance innée peut être entraînée par une pratique quotidienne. Les recherches sur la plasticité du cerveau ont démontré que les zones dévolues à certaines émotions gagnent en taille à mesure que la pratique est répétée quotidiennement. Une expérimentation a ainsi été réalisée, proposant à des volontaires vingt minutes de méditation sur l'altruisme chaque jour. Après seulement quatre semaines, les chercheurs ont pu observer des modifications fonctionnelles du cerveau, des changements comportementaux – davantage de coopération, de comportements prosociaux, d'entraide – et même des changements structurels. Les zones du cerveau les plus sollicitées lorsque nous éprouvons de l'empathie, l'amour maternel et plus généralement des émotions positives étaient légèrement plus volumineuses. De son côté, Richard Davidson, de l'université du Wisconsin, a conduit un programme d'entraînement à la compassion et aux comportements prosociaux chez des enfants âgés de quatre et cinq ans. En dix semaines, à raison de trois séances de trente minutes par semaine, son équipe a pu mesurer une nette augmentation des comportements altruistes chez les enfants. Pour Matthieu Ricard, "l'altruisme est le fil d'Ariane qui relie le court terme de l'économie, le moyen terme de la qualité de vie et le long terme de l'environnement. Sans l'altruisme, il n'y a aucun système intellectuel capable de prendre en compte les trois[3]." Notre capacité à étendre nos sentiments d'empathie, de compassion aux personnes que nous ne connaissons pas, qui vivent à l'autre bout de la planète, aux animaux et plus globalement à la biosphère est certainement le point de départ incontournable de nos nouveaux récits. La règle d'or d'Hillel, qui pourrait constituer une maxime au fronton de l'humanité : "Ne fais pas à autrui ce que tu ne voudrais pas qu'on te fasse" ou, dans une autre traduction, "Ce qui est détestable à tes yeux, ne le fais pas à autrui", n'est applicable que dans la mesure où le fameux sort d'autrui nous intéresse. Or, l'intermédiation des écrans, le déracinement de la nature qui nous conduit à vivre dans des villes aseptisées, à nous nourrir dans des supermarchés aux rayons garnis de boîtes colorées dont nous ne connaissons ni la provenance, ni le mode de fabrication, l'hypersegmentation des tâches, nous confinant dans des voitures, des galeries de métro, des bâtiments, peuvent avoir tendance à émousser nos perceptions. L'homme qui s'enfonce dans les mines chinoises pour extraire les terres rares de mon smartphone n'est qu'un concept. Tout comme les forêts rasées d'Amazonie ou les animaux maltraités, abattus, dépecés dans les abattoirs... Confronté directement à leur réalité, je ne la supporterais sans doute pas. À des milliers de kilomètres, face à un objet transformé – un iPhone aux courbes lisses, une bibliothèque en teck, un bon gros burger – dépourvu du contexte dans lequel il a été fabriqué, si. Vouloir changer cette réalité demande un entraînement, un déconditionnement que toutes les pratiques évoquées (et bien d'autres encore) pourraient nous apporter. À la manière de l'hygiène quotidienne, de l'activité physique, cette hygiène de la conscience[4] m'apparaît plus que jamais cruciale pour affronter les décennies à venir et trouver la ressource de penser "en dehors de la boîte[1]".

I. *To think out of the box* est une expression anglo-saxonne qui signifie "penser en dehors de nos cadres, de nos repères, de nos conditionnements".

ET MAINTENANT ?

"Que faire ?"

"Comment ?"

"A-t-on encore le temps ?"

"C'est aux politiques de se bouger !"

"Il ne faut rien attendre des politiques, le changement viendra d'en bas, des gens comme nous."

"C'est pas en méditant dans son coin qu'on va empêcher les multinationales de tout détruire."

"Pour nous, c'est fini, ce qu'il faut faire, c'est éduquer les jeunes, c'est eux qui changeront le monde."

"Les écolos bobos avec leur bio et leurs beaux discours ne servent à rien. Juste à se remplir les poches et à renforcer le système."

"Les écolos radicaux peuvent bien continuer à gueuler dans leur coin, à faire ceux qui ont raison tout seuls dans le désert, qui a envie de les rejoindre ?"

"La technologie va nous sauver."

"La technologie nous rend esclaves."

"De toute façon on peut bien faire ce qu'on veut ici, l'essentiel de la pollution, c'est en Chine qu'elle se passe..."

"Les Occidentaux en ont bien profité et maintenant ils voudraient qu'on ne se développe pas ?"

"Moi, je serai écolo quand Nicolas Hulot n'aura plus huit bagnoles et que Yann Arthus-Bertrand arrêtera de faire le mariole en hélicoptère."

Nous passons tellement de temps (en tout cas ceux que ces questions préoccupent) à tourner en rond en nous rejetant la balle. Attendant que quelqu'un s'y mette à notre place.

Alors que, dans le fond, la situation est assez claire.

Personne ne peut dire avec certitude combien de temps nous avons devant nous avant que les choses se gâtent très sérieusement. En revanche, nous savons que nous n'avons pas le temps d'attendre que la société évolue organiquement, à l'échelle d'une ou deux générations. Nous devons nous y mettre dès aujourd'hui et engager des transformations drastiques. C'est une véritable révolution, métamorphose, mutation, que nous devons engager. Les mesures isolées qui ne repenseraient pas l'organisation de nos sociétés en profondeur (remplacer les centrales nucléaires par des éoliennes, remplacer les pesticides chimiques par des pesticides tolérés par l'agriculture biologique...) n'ont pas de sens, nous devons désormais réfléchir de façon globale, tenant compte de l'interdépendance de tous les systèmes. Nous avons besoin de réinventer totalement nos modèles économiques, agricoles, énergétiques, éducatifs, notre organisation démocratique[1]... Nous savons qu'agir individuellement ne sera pas suffisant et que nous ne pouvons pas compter sur la bonne volonté des responsables politiques. Ils n'ont que peu de pouvoir sans nous et nous avons un impact limité sans eux. Notre seule issue est de construire des espaces de coopération entre élus, entrepreneurs et citoyens. Pour cela, les récits, les histoires sont certainement le catalyseur le plus efficace. Mais coopérer ne veut pas dire attendre que tout le monde soit d'accord. Cela implique que chacun fasse sa part pour construire cette nouvelle fiction : en adoptant un autre mode de vie, en réorientant son activité professionnelle, en participant à créer une communauté soudée sur son territoire, en s'impliquant politiquement pour faire pression sur les élus ou pour les remplacer, dans sa ville, dans sa région, dans son pays, en se mobilisant pour empêcher l'adoption des législations ou des projets les plus destructeurs, en diffusant, en informant, en inventant, en créant... Notre énergie ne peut venir que de notre enthousiasme, de notre aptitude à être la bonne personne au bon endroit, à exprimer nos talents, à faire ce qui nous passionne et nous donne envie de nous lever, chaque matin.

Au départ, nous n'avons de pouvoir que sur nous-mêmes. Nous sommes notre propre empire, celui que nous pouvons gouverner, réformer, transformer. Agir sur nous-mêmes, sur notre environnement proche n'est pas une finalité, mais l'amorce de réalisations plus vastes. En transformant notre fiction individuelle, nous proposons à ceux qui nous entourent le ferment d'un récit collectif. Et lorsque ce récit sera suffisamment partagé, il sera temps d'unir nos forces, par millions, pour modifier les architectures qui régissent nos vies. D'engager la bascule. Quand ? Je n'en ai pas la moindre idée. Comment exactement ? Je n'en sais rien non plus. Est-ce que l'effondrement écologique n'aura pas déjà eu lieu ? C'est possible. Mais quel autre projet adopter ? Chaque jour est une petite bataille à mener. Une opportunité de créer une autre réalité. Et cela commence aujourd'hui.

RESSOURCES

À dessein, je n'ai pas intégré de partie proposant des actions concrètes. Une multitude de sites, de livres ont déjà recensé tout ce qu'il est possible et nécessaire de mettre en œuvre dans sa vie de tous les jours pour limiter notre empreinte écologique (et sociale) sur la planète.

Pour moi, tout se résume à une question, qu'il est possible de se poser chaque fois que nous sommes amenés à entreprendre quelque chose et à faire un choix (quand nous achetons, quand nous nous déplaçons, quand nous faisons des travaux, quand nous faisons la vaisselle, etc.) : "Quel sera l'impact sur la nature et sur les autres êtres humains ?"

Évidemment, répondre à cette question demande souvent un peu de recherches. Comprendre comment (et par qui) les produits ont été fabriqués, comment ils ont voyagé, où ils finiront leur vie (les résidus de produits d'entretien dans les rivières, les déchets électroniques dans des villes-décharges en Afrique...), est parfois fastidieux, mais entrer dans cette complexité est ce qui nous permet de véritablement choisir et de comprendre le monde dans lequel nous vivons. Ce qui est plus que jamais nécessaire.

Voici tout de même quelques exemples, d'ouvrages et de sites, loin d'être exhaustifs...

Livres

Gaëlle Bouttier-Guérive et Thierry Thouvenot, *Planète attitude : les gestes écologiques au quotidien*, Seuil.

Christophe Chenebault, *Impliquez-vous*, Eyrolles.

Mathilde Golla, *100 jours sans supermarché*, Fayard.

Jérôme Pichon et Bénédicte Moret, *La Famille (presque) zéro déchets*, "ze guide", éditions Thierry Souccard.

Herveline Verbeken et Marie Lefèvre, *J'arrête de surconsommer !*, Eyrolles.
La collection "Je passe à l'acte", Actes Sud.
Les hors-séries du magazine *Kaizen* sur l'autonomie.

Site web
Le site de la famille zéro déchets : www.famillezerodechet.com/.
Une compilation de gestes au quotidien : maconscienceecolo.com/100-gestes-ecolos/.
La fabrique des colibris (une plateforme d'entraide citoyenne où chacun peut trouver comment "faire sa part") : www.colibris-lemouvement.org/projets/fabrique-colibris.
La carte collaborative "près de chez nous" des colibris, plus de dix mille acteurs locaux engagés dans la Transition : magasins bio, vente directe de producteurs, AMAP, écoles alternatives, éco-habitat... : www.colibris-lemouvement.org/passer-a-laction/agir-quotidien/carte-pres-chez-nous.

NOTES

Avant-propos (pages 10 à 15)

1. *On n'est pas couché*, France 2, 12 décembre 2015, www.youtube.com/watch?v=XSie3W3upd8.

2. org/fr/global-climate-march/.

3. www.theguardian.com/environment/live/2015/nov/29/global-peoples-climate-change-march-2015-day-of-action-live.

1. C'est pire que vous ne le croyez (pages 16 à 29)

1. Michel Serres, *C'était mieux avant !*, Le Pommier, 2017.

2. Matthieu Ricard, *Plaidoyer pour l'altruisme*, NIL, 2013.

3. L'économiste anglais Max Roser, de l'université d'Oxford, a composé plusieurs graphiques l'illustrant de façon saisissante : ourworldindata.org/slides/war-and-violence/#/title-slide.

4. www.fao.org/news/story/fr/item/288345/icode/.

5. www.inegalites.fr/L-acces-a-la-medecine-inegalement-reparti-dans-le-monde?id_theme=26.

6. www.planetoscope.com/forets/274-deforestation---hectares-de-foret-detruits-dans-le-monde.html.

7. nymag.com/daily/intelligencer/2017/07/climate-change-earth-too-hot-for-humans-annotated.html.

8. Seuil, coll. "Anthropocène", 2015.

9. www.carbonbrief.org/major-correction-to-satellite-data-shows-140-faster-warming-since-1998.

10. www.independent.co.uk/news/business/news/bp-shell-oil-global-warming-5-degree-paris-climate-agreement-fossil-fuels-temperature-rise-a8022511.html.

11. twitter.com/WMO/status/913793472087371776.

12. Steven C. Sherwood et Matthew Huber, "An Adaptability Limit to Climate Change Due to Heat Stress", *pnas*, www.pnas.org/content/107/21/9552?ijkey=cf45cb85674d389513fa07106f0da491d045cda2&keytype2=tf_ipsecsha.

13. Trad. Agnès Botz et Jean-Luc Fidel, Gallimard, 2006.

14. Trad. Alternative planétaire, Souffle court, 2011.

15. www.sciencesetavenir.fr/nature-environnement/l-inde-rattrape-la-chine-en-nombre-de-morts-de-la-pollution_110560.

16. www.who.int/mediacentre/news/releases/2016/deaths-attributable-to-unhealthy-environments/fr/.

17. "The Joint Effect of Air Pollution Exposure and Copy Number Variation on Risk for Autism", *Autism Research*, 27 avril 2017. Voir également l'article "Exposure to Ozone Kicks Up Chances of Autism 10-Fold in At-Risk Kids", www.sciencealert.com/exposure-to-ozone-kicks-up-autism-risk-10-fold-for-those-with-high-genetic-variability.

18. ipcc-wg2.gov/ar5/.

19. Marshall Burke, Solomon Hsiang et Edward Miguel, "Climate and Conflict", *Annual Review of Economics*, août 2015, vol. 7, p. 577-617, disponible sur ssrn.com/abstract=2640071 ou dx.doi.org/10.1146/annurev-economics-080614-115430.

20. news.un.org/fr/story/2008/12/145732-climat-250-millions-de-nouveaux-deplaces-dici-2050-selon-le-hcr#. WL02uxI1_-a.

21. www.leparisien.fr/espace-premium/fait-du-jour/10-millions-d-hectares-de-terres-cultivees-hors-de-leurs-frontieres-30-06-2016-5926767.php.

22. www.statistiques.developpement-durable.gouv.fr/publications/p/1939/1539/47-millions-poids-lourds-transit-travers-france-2010-moins.html.

23. Chiffre pour la France, www.salon-technotrans.com/le-transport-en-chiffres/.

24. Jeremy Rifkin, *La Troisième Révolution industrielle*, trad. Françoise et Paul Chemla, Les Liens qui libèrent, 2012.

25. tempsreel.nouvelobs.com/sciences/20170628.OBS1345/rechauffement-climatique-il-ne-reste-que-3-ans-pour-inverser-la-tendance.html.

26. abonnes.lemonde.fr/planete/article/2017/11/13/le-cri-d-alarme-de-quinze-mille-scientifiques-sur-l-État-de-la-planete_5214185_3244.html.

27. www.liberation.fr/debats/2017/08/23/de-la-fin-d-un-monde-a-la-renaissance-en-2050_1591503.

2. Chaque geste compte si... (pages 30 à 47)

1. sepia.ac-reims.fr/clg-les-jacobins/-spip-/IMG/pdf/La_resistance_dans_les_camps_de_concentration.pdf.

2. bibliobs.nouvelobs.com/idees/20161229.OBS3181/trier-manger-bio-prendre-son-velo-ce-n-est-pas-comme-ca-qu-on-sauvera-la-planete.html.

3. partage-le.com/2017/01/le-piege-dune-culpabilite-perpetuelle-par-will-falk/.

4. partage-le.com/2015/03/oubliez-les-douches-courtes-derrick-jensen/, traduction de Vanessa Lefebvre et Nicolas Casaux. Édition originale : www.derrickjensen.org/2009/07/forget-shorter-showers/.

5. Pourcentage en France en 2013, observatoire-electricite.fr/notes-de-conjoncture/La-consommation-d-energie-en-320.

6. Cité dans partage-le.com/2015/03/oubliez-les-douches-courtes-derrick-jensen/, traduction de Vanessa Lefebvre et Nicolas Casaux. Édition originale : www.derrickjensen.org/2009/07/forget-shorter-showers/.

7. Voir le compte rendu du site *Toute l'Europe* : www.touteleurope.eu/actualite/l-europe-s-invite-au-grenelle-de-l-environnement.html.

8. abonnes.lemonde.fr/planete/article/2017/01/31/les-ventes-de-pesticides-en-france-ont-baisse-pour-la-premiere-fois-depuis-2009_5072293_3244.html.

9. Citation qui m'a été rapportée par ses proches et qui est évoquée ici : blogs.mediapart.fr/pizzicalaluna/blog/191213/danielle-mitterrand-la-demo-cratie-n-existe-ni-aux-usa-ni-en-France.

10. partage-le.com/2015/03/oubliez-les-douches-courtes-derrick-jensen/, tra-duction de Vanessa Lefebvre et Nicolas Casaux. Édition originale : www.derrickjensen.org/2009/07/forget-shorter-showers/.

11. Selon un rapport de Kantar Worldpanel (janvier 2016).

12. www.latribune.fr/entreprises-finance/services/distribution/distribution-l-influence-croissante-des-centrales-d-achats-europeennes-554736.html.

13. www.agencebio.org/comprendre-le-consommateur-bio.

14. blogs.mediapart.fr/mariethe-ferrisi/blog/070513/la-strategie-de-choc-du-chili-la-grece.

15. Guillaume Pitron, *La Guerre des métaux rares – la face cachée de la transition économique et numérique*, Les Liens qui libèrent, 2018.

16. partage-le.com/2015/03/oubliez-les-douches-courtes-derrick-jensen/, tra-duction de Vanessa Lefebvre et Nicolas Casaux. Édition originale : www.derrickjensen.org/2009/07/forget-shorter-showers/.

3. Changer d'histoire pour changer l'Histoire (pages 48 à 55)

1. George Marshall, *Le Syndrome de l'autruche, pourquoi notre cerveau veut ignorer le changement climatique*, trad. Amanda Prat, Actes Sud, "Domaine du possible", 2017, p. 94 et 177.

2. Nancy Huston, *L'Espèce fabulatrice*, Actes Sud, 2008, p. 14.

3. Cités par Matthieu Ricard dans *Plaidoyer pour l'altruisme, op. cit.*

4. Yuval Noah Harari, *Homo Deus : une brève histoire de l'avenir*, trad. Pierre-Emmanuel Dauzat, Albin Michel, 2017, p. 168.

5. S'inspirant des premières recherches scientifiques sur le sujet et du roman éponyme de Thea von Harbou.

6. Film de Vassili Zouravlev.

7. Jean-Gabriel Ganascia, interview dans *Le Nouveau Magazine littéraire*, 15 février 2018.
8. www.les-crises.fr/la-fabrique-du-cretin-defaite-nazis.

4. Ce qui fait tenir la fiction actuelle (pages 56 à 80)
1. *La Troisième Révolution industrielle, op. cit.*, p. XXX.
2. www.lepoint.fr/economie/le-salaire-du-dealer-15-12-2011-1408690_28.php.
3. www.lemonde.fr/sciences/article/2017/05/31/la-surexposition-des-jeunes-enfants-aux-ecrans-est-un-enjeu-majeur-de-sante-publique_5136297_1650684.html.
4. Recherches menées par Gloria Mark et Microsoft, citées par Tristan Harris, TED Talk : www.ted.com/talks/tristan_harris_how_better_tech_could_protect_us_from_distraction.
5. www.theguardian.com/technology/2017/oct/05/smartphone-addiction-silicon-valley-dystopia.
6. TED Talk : www.ted.com/talks/tristan_harris_how_better_tech_could_protect_us_from_distraction.
7. www.nouvelobs.com/rue89/rue89-le-grand-entretien/20160604.RUE3072/tristan-harris-des-millions-d-heures-sont-juste-volees-a-la-vie-des-gens.html.
8. www.theatlantic.com/magazine/archive/2017/09/has-the-smartphone-destroyed-a-generation/534198.
9. *Contact : pourquoi nous avons perdu le monde, et comment le retrouver*, trad. Marc Saint-Upéry et Christophe Jaquet, La Découverte, 2016, p. 335.
10. www.franceculture.fr/numerique/lawrence-lessig-la-segmentation-du-monde-que-provoque-internet-est-devastatrice-pour-la.
11. *Archives parlementaires de 1787 à 1860*, Librairie administrative de Paul Dupont, 1875.
12. Jean-Jacques Rousseau, *Du contrat social*, 1762, livre III, chap. XV.
13. www.colibris-lemouvement.org/sites/default/files/etude_ifop_colibris.pdf.
14. Voir www.bbc.com/news/blogs-echochambers-27074746 et journals.cambridge.org/action/displayAbstract?fromPage=online&aid=9354310.
15. Jean-Jacques Rousseau, *Du contrat social*, 1762, livre III, chap. IV.

5. Construire de nouvelles fictions et de nouvelles architectures
(pages 81 à 109)

1. Voir le chapitre sur la monnaie de mon précédent livre *Demain, un nouveau monde en marche, op. cit.*, p. 184-219.

2. Voir notamment les recherches de Robert Ulanowicz et Alexander C. Zorach, de l'université du Maryland : "Quantifying the Complexity of Flow Networks : How Many Roles Are There ?", publiées dans la revue *Complexity* en 2003 : onlinelibrary.wiley.com/doi/10.1002/cplx.10075/full.

3. www.youtube.com/watch?v=nORl8r3Jiyw, à partir de 7 minutes 50.

4. Isabelle Delannoy, *L'Économie symbiotique, régénérer la planète, l'économie et la société*, Actes Sud, "Domaine du possible", 2017.

5. *Manifeste NégaWatt*, Actes Sud, "Domaine du possible", 2012, et Babel n° 1350, 2015.

6. Lire à ce propos *Contre les élections* de David Van Reybrouck, trad. Philippe Noble et Isabelle Rosselin, Babel, Actes Sud, 2014.

7. Une histoire plus complète de la révolution islandaise est narrée dans l'ouvrage de Pascal Riché *Comment l'Islande a vaincu la crise*, Versilio et Rue 89, 2013 ("L'Islande, modèle de sortie de crise ?", *Libération*, 8 février 2013) et dans mon livre *Demain, un nouveau monde en marche, op. cit.*

8. De nombreuses autres recherches et expérimentations sont recensées dans *Contre les élections* de David Van Reybrouck, *op. cit.*

9. Voir son site internet : humanetech.com/.

10. www.thelancet.com/journals/lancet/article/PIIS0140-6736 (09) 61166-1/fulltext.

11. Rutger Bregman, *Utopies réalistes, op. cit.*

12. H. Roy Kaplan, *Lottery Winners : the Myth and Reality*, PhD, link.springer.com/article/10.1007/BF01367438.

13. fr.wikipedia.org/wiki/Effet_multiplicateur_du_crédit.

14. Pour approfondir cette question : Bernard Lietaer et Jacqui Dunne, *Réinventons la monnaie !*, Yves Michel, 2016.

15. François Morin, *Le Nouveau Mur de l'argent : essai sur la finance globalisée*, Seuil, 2006.

16. *Demain, un nouveau monde en marche, op. cit.*

17. "The Macro-Stability of Swiss WIR-Bank Spending : Balance, Velocity, and Leverage", *Comparative Economic Studies*, décembre 2016, 58 (4), p. 570-605, link.springer.com/article/10.1057/s41294-016-0001-5?view=classic, et "Complementary Credit Networks and Macro-Economic Stability :

Switzerland's Wirtschaftsring", *Journal of Economic Behavior and Organization*, octobre 2009, p. 79-95, www. JimStodder.com/WIR_Update2.

18. www.jimstodder.com/Stodder_vita.html.

19. fr.wikipedia.org/wiki/Ethereum.

20. founders.archives.gov/documents/Jefferson/03-10-02-0053.

21. www.lefigaro.fr/flash-eco/2015/08/10/97002-20150810FILWWW00214-grece-l-allemagne-a-profite-de-la-crise-etude.php.

22. *Ibid.*

23. www.france24.com/fr/20171011-bce-banque-centrale-dette-grecque-profit-interet-economie-europe.

6. C'est quand la révolution ? (pages 110 à 131)

1. Cité par William Safire, *Words of Wisdom*, Simon and Schuster, 1990.

2. Trad. José Malfi, A. Carrière, 2016.

3. *Demain, un nouveau monde en marche, op. cit.*

4. Toutes ces citations et informations sont issues des ouvrages de Marc Ferro *Analyse de film, analyse de sociétés : une source nouvelle pour l'histoire*, Hachette, 1976, et *Le Cinéma : une vision de l'histoire*, Le Chêne, 2003.

5. "Banalisation de l'état d'urgence : une menace pour l'État de droit", tribune publiée le 12 juillet 2017 sur les sites de *Mediapart* et de *Libération* sous la signature de 300 universitaires et chercheurs, www.liberation.fr/debats/2017/07/12/banalisation-de-l-État-d-urgence-une-menace-pour-l-État-de-droit_1583331.

6. www.lefigaro.fr/secteur/high-tech/2017/12/11/32001-20171211ART-FIG00240-en-chine-le-grand-bond-en-avant-de-la-reconnaissance-faciale.php.

7. www.slate.fr/story/157444/chine-police-lunettes-intelligentes-reconnaissance-faciale.

8. www.lepoint.fr/high-tech-internet/une-semaine-avec-une-puce-sous-la-peau-27-06-2015-1940461_47.php.

9. Interview dans *Kaizen*, novembre 2012.

10. Il est gratuitement téléchargeable ici : www.aeinstein.org/wp-content/uploads/2013/09/FDTD_French.pdf.

11. Lire à ce sujet Ludovic Lamant, *Squatter le pouvoir, les mairies rebelles d'Espagne*, Lux, 2016.

12. www.lemonde.fr/smart-cities/article/2017/10/23/treize-grandes-metropoles-veulent-devenir-des-territoires-sans-energie-fossile-d-ici-a-2030_5204747_4811534.html.

13. abonnes.lemonde.fr/planete/article/2017/03/13/climat-paris-vise-la-neutralite-carbone-en-2050_5093437_3244.html.
14. reporterre.net/New-York-attaque-cinq-petroliers-en-justice-pour-leur-responsabilite-dans-le.
15. Voir www.un.org/fr/development/desa/news/population/world-urbanization-prospects.html et www.bbc.com/news/science-environment-12881779.

7. L'heure du choix (pages 131 à 136)
1. Deux études ont été publiées à ce sujet dans la revue *Cell*, en décembre 2017 : "A Viral (Arc) Hive for Metazoan Memory" et "The Neuronal Gene Arc Encodes a Repurposed Retrotransposon Gag Protein that Mediates Intercellular RNA Transfer", www.ulyces.co/news/un-virus-prehistorique-pourrait-etre-responsable-de-notre-faculte-de-penser/.
2. tricycle.org/trikedaily/priest-bringing-meditation-nypd/.
3. *Plaidoyer pour l'altruisme, op. cit.*, p. 868.
4. C'est notamment l'idée que développent Thomas d'Ansembourg et David Van Reybrouck dans leur ouvrage *La Paix, ça s'apprend !*, Actes Sud, "Domaine du possible", 2016.

Et maintenant ? (pages 137 à 140)
1. Je ne me suis pas attardé sur le contenu de ces propositions dans cet ouvrage, mais elles peuvent être explorées dans mon précédent livre, *Demain, un nouveau monde en marche, op. cit.*

REMERCIEMENTS

Un immense merci à Éva Chanet, Anne-Sylvie Bameule, Jean-Paul Capitani et Aïté Bresson pour leurs relectures attentives et bienveillantes.

Merci également à Émeline Lacombe pour son travail de coordination indispensable.

Merci à tous les auteurs cités dans cet ouvrage, dont la pensée et les recherches m'ont profondément enrichi. Parmi eux, un remerciement spécial et chaleureux à mon amie Nancy Huston, dont j'admire tant le travail. Son essai *L'Espèce fabulatrice* est sans doute l'un des livres qui ont le plus influencé mes projets depuis quatre ans et a bouleversé ma perception du monde. Il est l'une des inspirations premières de cet ouvrage.

Merci à Pablo et Lou d'avoir supporté les mouvements d'humeur de leur père qui ne parvenait pas toujours à trouver l'espace de se concentrer.

Et merci à Fanny de continuer à me lire, à me redonner confiance et à m'inspirer.

Colibris est une ONG qui encourage une dynamique de créativité au sein de la société civile. Sa mission consiste à inspirer, relier et soutenir ceux qui veulent construire une société écologique et humaine.

Éducation, économie, agriculture, énergie, habitat..., l'association met en lumière les solutions les plus abouties dans chaque domaine et propose des outils concrets pour favoriser leur mise en œuvre sur des territoires. La méthode Colibris facilite la coopération entre citoyens, élus, entrepreneurs, et permet à chacun d'agir, individuellement ou collectivement, sur son lieu de vie.

Les Colibris, ce sont tous ces individus qui inventent, expérimentent, coopèrent concrètement pour bâtir des modèles de vie en commun respectueux de la nature et de l'être humain.

Fondée sous l'impulsion de Pierre Rabhi en 2007, Colibris appartient au réseau Terre et Humanisme, dont la vocation de chaque structure est d'encourager l'émergence et l'incarnation de nouveaux modèles de société par une politique en actes.

La collection "Domaine du possible", dans laquelle ce livre est édité, est le fruit d'une collaboration et d'une amitié entre Actes Sud et Colibris entamées en 2007.

Pour plus d'information : www.colibris-lemouvement.org

CATALOGUE DU DOMAINE DU POSSIBLE

ÉDUCATION

... Et je ne suis jamais allé à l'école, André Stern, 2011.

La Ferme des enfants, Sophie Bouquet-Rabhi, 2011.

Ces écoles qui rendent nos enfants heureux, Antonella Verdiani, 2012.

Enseigner à vivre, Edgar Morin, 2014.

L'École du Colibri, Isabelle Peloux et Anne Lamy, 2014.

Libre pour apprendre, Peter Gray, 2016.

La paix ça s'apprend, David Van Reybrouck, 2016.

Jouer, André Stern, 2017.

ALIMENTATION

Manger local, Lionel Astruc et Cécile Cros, 2011.

Le Manuel de cuisine alternative, Gilles Daveau, 2014.

Poisons cachés ou Plaisirs cuisinés, Gilles-Éric Séralini et Jérôme Douzelet, 2014.

À la recherche du pain vivant, Roland Feuillas et Jean-Philippe de Tonnac, 2017.

AGRICULTURE

L'Agriculture biologique pour nourrir l'humanité, Jacques Caplat, 2012.

Le Manuel des jardins agroécologiques, préface de Pierre Rabhi, 2012.

Permaculture, Perrine et Charles Hervé-Gruyer, 2014.

Changeons d'agriculture, Jacques Caplat, 2014.

L'Agroécologie, une éthique de vie, Pierre Rabhi, 2015.

ÉCONOMIE, MANAGEMENT ET POLITIQUE

Le Syndrome du poisson lune, Emmanuel Druon, 2015.

Équicoaching. L'intelligence émotionnelle au cœur de l'entreprise, Jean-Paul Bérard, Arnaud Camus et Laurence Flichy, 2016.

Écolonomie, Emmanuel Druon, 2016.

Le Pouvoir de faire, Jack Lang et Patrick Bouchain, 2016.

Le Revenu de base, Olivier Le Naire, 2017.
Ces maires qui changent tout, Mathieu Rivat, 2017.
L'Économie symbiotique, Isabelle Delannoy, 2017.
Le Maire qui aimait les arbres, Jean Chalendas, 2017.
À mon allure, William Kriegel, 2018.

ÉNERGIE
Manifeste NégaWatt, Marc Jedliczka, Yves Marignac et Thierry Salomon, 2012.
Changeons d'énergies, Marc Jedliczka et Thierry Salomon, 2013.

INITIATIVES DE LA SOCIÉTÉ CIVILE
Éloge du génie créateur de la société civile, Pierre Rabhi, 2011.
(R)évolutions, Lionel Astruc, 2012.
Pierre Rabhi, semeur d'espoirs, Olivier Le Naire et Pierre Rabhi, 2013.
Vandana Shiva. Pour une désobéissance créatrice, Lionel Astruc, 2014.
Les Incroyables Comestibles, Pam Warhurst et Joanna Dobson, 2015.
Demain. Un monde nouveau en marche, Cyril Dion, 2015.
Le Pouvoir d'agir ensemble, ici et maintenant, Rob Hopkins et Lionel Astruc, 2015.
Le Cercle vertueux, Nicolas Hulot et Vandana Shiva, entretiens avec Lionel Astruc, 2018.

ÉCOLOGIE ET BIODIVERSITÉ
Du bon usage des arbres, Francis Hallé, 2011.
Plaidoyer pour l'herboristerie, Thierry Thévenin, 2013.
La Biodiversité, une chance, Sandrine Bélier et Gilles Luneau, 2013.
Earthforce, capitaine Paul Watson, 2015.
Arne Næss, pour une écologie joyeuse, Mathilde Ramadier, 2017.
Le Syndrome de l'autruche, George Marshall, 2017.
Drawdown. Comment inverser le cours du réchauffement planétaire, Paul Hawken, 2018.

MÉDECINE, NAISSANCE & PRÉPARATION À L'ACCOUCHEMENT
Mère et père en devenir, Esther Wiedmer, 2015.
Pour une grossesse et une naissance heureuses, Magali Dieux, Patrice Van Eersel et Benoît Le Goëdec, 2015.
Bougez, faites confiance à votre dos !, Marc Picard, 2018.

Ouvrage réalisé
par l'Atelier graphique Actes Sud.
Achevé d'imprimer
en mai 2018
par Normandie Roto Impression s.a.s.
61250 Lonrai
sur papier fabriqué à partir de bois provenant
de forêts gérées durablement
pour le compte
des éditions Actes Sud
Le Méjan
Place Nina-Berberova
13200 Arles.

Dépôt légal
1re édition : mai 2018
N° impr. : 1801985
(Imprimé en France)